Isa, wereldspits
Over meisjesvoetbal, winnen en verliezen

Frans van Duijn

Isa, wereldspits

Over meisjesvoetbal, winnen en verliezen

Met illustraties van Monique Beijer

Van Goor

ISBN 978 90 00 30129 4
NUR 283
© 2011 Van Goor
Uitgeverij Unieboek | Het Spectrum bv, postbus 97, 3990 DB Houten

www.van-goor.nl
www.unieboekspectrum.nl
www.moniquebeijer.nl

tekst Frans van Duijn
illustraties Monique Beijer
vormgeving omslag Marieke Oele
zetwerk binnenwerk Mat-Zet bv, Soest

Vliegende hoekvlag

'Snel! Snel! Anders zweef ik weg van geluk!'

Astrid en Debbie grepen Isa bij haar armen en duwden haar lachend tegen het gras. Drie andere speelsters stortten zich eveneens boven op haar.

'Mooie goal, Ies!' riep Astrid.

'Wereldgoal!' gilde Debbie. 'Een wereldgoal!'

Onder op de berg speelsters voelde Isa een vreugde waarvan ze bijna tranen in haar ogen kreeg. Dit was absoluut een van haar mooiste doelpunten. Ze zag het nog glashelder voor zich. De bal was door de lucht komen wentelen als het muntstuk van de scheidsrechter aan het begin van de wedstrijd. Op haar linkervoet lag hij echter meteen rustig, volkomen stil. Met één voetbeweging fopte ze daarna twee tegenstandsters en aan de rand van het strafschopgebied volgde een schot dat nog nazinderde in haar rechtervoet. Achter de kansloze keepster was het net hoog opgebold.

'Meiden, kom eens overeind,' zei de scheidsrechter, een man van een jaar of vijftig met een vollemaansgezicht. 'src wil snel de aftrap nemen.'

'Ach scheids, mogen we nog even?' vroeg Isa. 'We liggen net zo lekker.'

'Niet zo brutaal, dame, anders...' De hand van de scheidsrechter ging dreigend naar zijn borstzak.

'Geintje, scheids!' riep Isa. 'We komen al!'

Uit de dug-out klonk de stem van Gabriëlle Schrijvers, de trainster van Gazellen c1. 'Kom op meiden, maak er nog eentje, dan zijn we hier klaar!'

Al snel volgde inderdaad de genadeklap voor src, maar eerst was er nog een incident waar de Gazellen nog lang over zouden napraten. Isa wilde een corner nemen en vond binnen de met krijt getrokken kwartcirkel bij de hoekvlag geen lekker plekje voor de bal, omdat die kwartcirkel één grote zanderige kuil was. Daarom legde ze de bal net buiten de krijtlijn op een vlak stukje gras.

'Ho, ho, dat mag niet!' hoorde Isa roepen. Ze keek op van de bal en zag de vrouwelijke grensrechter van src op zich af komen.

'Dat mag niet!' herhaalde de vrouw, die zich bewoog alsof ze door diep water waadde. 'Je moet de bal helemaal binnen de kwartcirkel leggen.'

'Ach grens, zeur niet,' zei Isa. 'Wat maakt die ene centimeter nou uit!'

Ze nam een aanloop om de corner te trappen, maar de grensrechter ging snel voor de bal staan en stak haar vlag omhoog. De scheidsrechter kwam kijken wat er aan de hand was en gaf z'n assistente gelijk. 'Hou je aan de regels, grappenmaker,' zei hij tegen Isa. 'Anders kun je gaan douchen!'

Isa moest dus op zoek naar een geschikte plaats binnen de kwartcirkel. Het enige bruikbare plekje was een graspol pal naast de hoekvlag. Daar legde ze de bal met beide handen zorgvuldig neer, maar nu stond de hoekvlag in de weg. 'Misschien kun je de hoekvlag even vasthouden, grens? Ik...'

'De hoekvlag mag niet verplaatst!'

'Nee, dat hoeft ook niet. Hij is van plastic. Hij is hol. Als je hem nou even buigt dan...'

'De hoekvlag mag niet uit zijn loodrechte stand worden gebracht!'

'Oké, dan niet.' Isa haalde zwaar adem door haar fijn gebouwde neusje. Haar benen, zo sterk dat het leek alsof ze van een jongen waren gestolen, werden nu gestuurd door woede. Ze nam een aanloop van wel vijf meter en schopte niet alleen de bal, maar ook de hoekvlag weg.

PATS!

Het ding brak in twee stukken en de bal vloog hoog voor het doel, waar voorstopper Sandra hem steenhard in het net kopte. Goal! Dit was de 0-2 en meteen de nekslag voor SRC. Natuurlijk ontstond er rumoer over de kapotte hoekvlag. Isa raapte beide stukken van de grond en legde ze buiten de lijnen. 'Sorry hoor,' zei ze tegen de scheidsrechter, 'maar die vlag stond in de weg.'

De man in het zwart was te verbluft om te reageren en terwijl Gazellen C1 het tweede doelpunt vierde door weer met zo veel mogelijk speelsters op een hoopje te liggen, moest de regelzieke grensrechter een reserve-hoekvlag uit het materiaalhok halen. Het bleek een door vocht kromgetrokken, houten exemplaar.

'Die schop je niet zomaar doormidden, Ies,' zei Debbie even later met een knipoogje.

'Die treurwilg? Moet jij eens opletten!'

Maar er kwamen geen corners meer. De scheidsrechter blies voor het einde van de wedstrijd en de Gazellen vlogen elkaar juichend en gillend om de hals. Dit was al hun derde overwinning op rij.

'Drie wedstrijden negen punten,' verzuchtte Astrid wat

later in de kleedkamer. 'Zo goed zijn we de competitie nog nooit begonnen.'

'En maar één doelpunt tegen,' zei keepster Femke. 'Dat is uniek!'

Natuurlijk praatten ze ook na over Isa's corner. 'Ik heb een cornervlag nog nooit zo hoog zien vliegen,' zei Femke. 'Het leek wel een raketlancering!'

'Het vlaggetje ging meteen halfstok,' zei Karin grinnikend. 'Heel SRC in de rouw.'

'Het veld was in de hoeken ook wel heel erg slecht,' oordeelde Debbie. 'Morgen staan er weer koeien op. Ik...'

'Dames, mag ik even stilte!' vroeg Gabriëlle plots op ongewoon plechtige toon. 'Vandaag, zaterdag 19 september 2009, is niet alleen een heuglijke dag door onze overwinning en een gesneuvelde vijandelijke hoekvlag, nee, deze dag is vooral ook zo mooi door een sms'je dat ik net van onze voorzitter ontving.'

Iedereen was stil. Je kon een speld horen vallen.

'Onze voorzitter weet uit betrouwbare bron, dat de KNVB gisteren een brief heeft gestuurd naar Isa Laurier.'

'Gossiemijne, Ies!' fluisterde Debbie en ze stootte haar buurvrouw aan. Maar Isa gaf geen kik.

'Isa Laurier,' vervolgde Gabriëlle, 'wordt daarin uitgenodigd voor een wedstrijd van het KNVB Districtselftal onder 14. Ze...'

Verder kwam de trainster niet. Het hele team brulde het uit. Alle speelsters verdrongen zich rond hun spits, die wel zag dat sommige meiden niet alleen blij, maar ook wel een beetje jaloers waren.

'Super, Ies!' galmde het door de kleedkamer. 'Supergaaf!'
Nadat alle speelsters weer op hun plek zaten gaf Gabriëlle Isa een hand. 'Gefeliciteerd hoor, je verdient het.'
'Ik ben dus echt gescout?'
'Jazeker, je hoort nu bij de beste meiden in het gebied rond Haarlem en Amsterdam.'
'O? Maar dat gaat toch met voorrondes en zo.'
Gabriëlle gaf een knipoogje. 'Ze hadden jou kennelijk over het hoofd gezien. Daar komt nu dus verandering in.'
Op Isa's gezicht brak langzaam een grote glimlach door.
'Het is dus echt waar?'
'Helemaal echt waar.'
'En wanneer is die wedstrijd?'
'Dat staat in de brief. Ben je blij?'
'Ontzettend ongelofelijk blij,' riep Isa uit, terwijl ze de mouwen van haar shirt opstroopte. 'Kijk eens, ik heb kippenvel!'

Honderd schouderklopjes, twee appelsap en een gevulde koek later fietste Isa samen met Debbie van het sportpark naar huis. Debbies blonde haren zaten in een torenhoog kapsel boven op haar hoofd. Zachtjes deinde de coup heen en weer. Isa keek er gefascineerd naar. 'Ik snap niet hoe jij met die suikerspin kunt voetballen, Deb.'
'Kwestie van haarspelden en haarlak. Kijk maar op You-Tube naar *How to make an Amy Winehouse Look*.'
'Amy Winehouse, wie is dat?'
Met een dramatisch gebaar greep Debbie naar haar opgespoten kapsel. 'Wat! Ken je die niet? Serieus niet?'

Isa schudde haar hoofd.

'Amy Winehouse is een Engelse zangeres.'

'Met heel hoog haar.'

'Ja, nog veel hoger dan ik het heb.'

'Tja, als zangeres hoef je geen kopballen te geven.'

'Pff, ik ook niet. Het is toch vóetbal!'

'Ai, laat Gabriëlle dat maar niet horen.'

'Ach die,' verzuchtte Debbie, 'ze zeurde weer dat ik met een paardenstaart moet spelen. Waarom zou ik? Ik voel me zo het prettigst, ook in het veld.'

'Je haar kan kapseizen.'

'Welnee! Onzin!'

De vriendinnen zwegen zo'n tweehonderd meter, wat voor hun doen erg lang was. Toen vroeg Isa: 'Hoe doe ik dat nou vannacht?'

'Wat bedoel je?'

'Ik zit in het Districtselftal, Deb! Straks zweef ik vannacht weg van geluk en dan is er niemand om me vast te houden!'

Taartjuwelier

Isa woonde met haar ouders boven de zaak van haar vader, volgens velen de beste banketbakker van Haarlem. Isa's moeder stond achter de toonbank in de winkel, maar hielp ook mee in de bakkerij, net als Isa, die al heel wat taartbodems met frambozen en aardbeien had belegd. Op de Zijlweg nam Isa afscheid van Debbie en ze fietste toen in een noodtempo naar het hoekhuis waar met grote krulletters PATISSERIE LAURIER op de ruit stond. Ze smakte haar fiets tegen de muur en rende de winkel binnen. 'Mam, ik ben gescout! Ik zit bij het Districtselftal onder 14!'

Drie klanten keken haar nieuwsgierig aan.

'O, wat geweldig, schat! Gefeliciteerd hoor, kom eens hier voor een dikke zoen!'

'Er komt een brief van de KNVB!' ratelde Isa. 'Of misschien is hij er al! Ik heb ook nog een hoekvlag doormidden geschopt! Ik...'

'Ja, ja, kom nou eerst eens hier!'

Achter de toonbank kreeg Isa een omhelzing en een zoen.

'Zo!' zei haar moeder. 'Ik ben erg trots op je, maar nu ben ik even bezig. Papa is beneden. Ik hoor het hele verhaal graag straks. Oké?'

'Is goed,' zei Isa, en ze snelde langs haar moeder, een vrouw met een eeuwige glimlach op haar gezicht en pikzwarte, lange haren in een paardenstaart. Isa had net zulk haar, maar dan kortgeknipt. Een deur in de winkel leidde naar de bakkerij onder het huis. Boven aan de trap kwam de geur van geroosterde hazelnoot Isa al tegemoet. Ze hipte de treden af en sprintte langs de roestvrijstalen rekken waarop glimmende appeltaarten stonden.

'Hoi Ies, wat heb je gedaan?' Leerling-banketbakker Lucas staakte zijn werkzaamheden niet. Met het tongpuntje uit zijn mond spoot hij met room een gelukwens op een mokka-boomstam.

'2-0 gewonnen! Ik heb er eentje gemaakt en bij de andere gaf ik de voorzet.'

'Zo ken ik je weer.'

'Ik heb trouwens ook nog een hoekvlag gemold.'

'O?'

Isa vertelde hoe dat mollen in z'n werk was gegaan en maakte daarbij een wild schoppende beweging met haar rechterbeen.

'Ben je dan niet geblesseerd?'

'Welnee, het was zo'n holle plastic buis. Ik schampte hem alleen maar, raakte hem natuurlijk niet vol, maar de bal raakte ik wel vol, snoeihard.'

'Aha.'

'Enne... ik ben geselecteerd voor het Districtselftal onder 14!'

De slagroomspuit schoot uit.

'Shit! Wat? Echt?'

'Echt waar!' riep Isa, die dieper de bakkerij in rende. 'Ik ben gescout!'

Bij het liftje naar de winkel stond Isa's vader, Daan Laurier. Hij viste net met een tang twee saucijzen uit de oven. 'Wat gil je allemaal?'

'Hoi pap, ik heb groot nieuws. Ik zit bij het Districtselftal onder 14. Gabriëlle heeft het me verteld!'

'Ah, goed zo.' Haar vader legde de saucijzen op een bord in de lift en verstuurde ze met een druk op de knop naar boven.

'Ik krijg een brief van de KNVB of misschien is die brief er al.'

'Zou goed kunnen, we hebben nog geen tijd gehad voor de post.' Isa's vader rekte zich uit en geeuwde. 'Kun je trouwens voor halfdrie een taart wegbrengen?'

'Natuurlijk, pap.'

Haar vader leek niet erg onder de indruk van Isa's uitverkiezing. Ook vroeg hij niet naar de uitslag van de wedstrijd tegen SRC, maar daar was Isa wel aan gewend. Daan Laurier gaf niks om sport en was ook op zaterdag zo druk, dat hij Isa zelfs nog nooit een wedstrijd had zien voetballen. Wel zag hij haar vaak bezig in de tuin, waar ze zich uitleefde op allerlei voetbalkunstjes.

'We hebben met 2-0 gewonnen.'

'Goed zo,' zei haar vader, die nu met een brander eiwitschuim een kleurtje gaf. 'Heb je al wat gegeten?'

'Ja, een gevulde koek in de kantine.'

'Wát zeg je nou!' Isa's vader legde de brander met een klap op tafel. 'Waarom eet je verdorie die fabrieksrommel?'

'Nou ja,' zei Isa met een plagerig glimlachje. 'Ik had zo'n trek.'

'Lucas, wat moet ik nou met zo'n dochter?' riep Daan Laurier uit. 'Ik maak de beste gevulde koeken ter wereld en zij eet zo'n koek vol snot uit een voetbalkantine!'

Lucas concentreerde zich op z'n werk en zei niets.

'Ik heb hier de beste amandelen voor de vulling en ik heb de mooiste, grootste Spaanse amandelen voor boven op de koek! Weet je, Isa, een goeie gevulde koek maken is helemaal niet zo makkelijk. Het randje moet krokant zijn en de spijs zacht. Nou ja, dat leer je nog wel een keer.'

'Ik zit op de havo, pap, niet op de school voor brood en banket.'

Haar vader pakte de brander. 'Mmh, mmh.'

'Daarna ga ik naar de sportacademie, maar het liefst word ik zo snel mogelijk voetbalprof in Amerika of Italië. Hallo, pap, luister je naar me?'

'Ja, ja,' mompelde haar vader.

'Dat is geen sprookje, hoor. Ik zit nu in het Districtselftal!'

'Mmh, mmh.' Daan Laurier trok een gekweld gezicht.

'Oké,' zei Isa op jolige toon, 'waar staat die taart?'

Met gretige vingers controleerde Isa de post, maar er zat geen brief van de KNVB bij. Nou goed, die zou maandag dan wel komen. Ze deed haar voetbalkleren in de was en wat later liep ze met een taartdoos naar de familie Hemelsoet, die drie straten verderop woonde, net over de Leidsevaart. In de doos zat een doodgewone kersentaart, niks bijzonders, nee, dan de taart die Isa vorige maand voor haar dertiende verjaardag kreeg: een *croquembouche*, een spectaculair bouwwerk van in karamel gedoopte soesjes, versierd met marsepeinen bloemen en gesuikerde viooltjes.

'Kijk eens!' had haar vader geroepen, terwijl hij zijn grote bakkershanden op zijn nog grotere buik legde. 'Je taart is bekroond met gesponnen karamel!'

Elk soesje kraakte in Isa's mond en dat was volgens Daan Laurier precies de bedoeling. Croquembouche betekent in het Nederlands namelijk krak-in-de-mond. Samen met haar voetbalvriendinnen at Isa zich bijna ziek aan de soesjestoren. Debbie had het record gevestigd met vijftien stuks.

'Dag Isa, dat is hem?' Mevrouw Hemelsoets gezicht ging schuil onder een dikke laag make-up. Ze stond in de deuropening van een kast van een huis.

'Jazeker, mevrouw Hemelsoet. Dit is hem.'

'Mag ik even kijken?'

'Natuurlijk, het is jouw... eh úw taart.'

Mevrouw Hemelsoet lichtte het deksel van de doos op en gluurde naar binnen. 'Ach, wat een prachtig taartje! Je vader kan er wat van, hoor.'

'Dank u.'

'Hij is vast verruk-k-kelijk! Verruk-k-kelijk!' Ze kneep haar ogen dicht van voorpret. 'Weet je hoe we je vader hier thuis noemen?'

'Nee, mevrouw.'

'De taartjuwelier.'

'Mooie naam,' zei Isa verrast. 'Ik zal het hem zeggen.'

Ze nam met een knikje afscheid en slenterde terug naar de patisserie. Ondertussen dacht ze na over het afkeurend gemompel van haar vader en haar doelpunt van die ochtend, echt een juweel van een doelpunt. 'Ja, papa,' zei Isa hardop, 'je kunt hoog of laag springen, maar ik ben nou eenmaal een doelpuntjuwelier.'

Zwerver

De volgende ochtend was Isa met een bal in de tuin bezig. Ze droeg een trainingspak en jongleerde met haar ronde vriendje alsof hij aan een touwtje zat.

FAP-FAP-FAP.

Zo klonk het als voet en bal elkaar raakten.

FAP-FAP-FAP.

De tuin was ongeveer zo groot als een strafschopgebied en bestond uit een heldergroen gazon met aan de randen kersenbomen en een rozenhaag. Dit paradijsje werd van de straat en andere tuinen afgeschermd door een schutting, waar Isa van haar ouders niet meer tegenaan mocht schieten. Daarom was er een minidoeltje gekomen dat met stalen pinnen heel erg vast in het gras stond.

FAP-FAP-FAP.

Uit haar ooghoeken zag Isa hoe haar ouders voor het grote raam gingen zitten, kop koffie in de hand. Vanachter het glas keken ze recht de tuin in.

'Hee, hallo daar!' riep Isa, terwijl ze de bal met beide bovenbenen hoog hield. 'Zitten jullie lekker in je skybox?'

Haar vader toverde met moeite een glimlach op zijn gezicht, maar Isa's moeder schoot in de lach en zwaaide. Daarna begonnen ze te praten. Haar vaders hoofd werd rood.

Shit! dacht Isa. Wat werd dáár nou gezegd?

Het kleine raam stond op een forse kier. Luistervinken was niet netjes, maar ze was gewoon te nieuwsgierig.

FAP-FAP-FAP.

Als een zeeleeuw hield Isa de bal in de lucht, ook met haar hoofd en schouders. Al jonglerend naderde ze zo het raam. Toen hoorde ze heel zachtjes boven het FAP-FAP-FAP uit haar ouders praten.

'Het Districtselftal,' hoorde ze haar vader verzuchten. 'Ik had gister niet goed door wat het nou precies betekent... voor háár.'

'Het is een grote prestatie, Daan. Er voetballen duizenden meiden van die leeftijd. Wees nou eens trots, verdorie!'

'Ja, ja, ben ik ook, maar... mmm... mmm...'

Shit, dacht Isa, door de bal versta ik het niet allemaal.

FAP-FAP-FAP-TJUP.

Isa liet de bal doodstil in haar nek rusten. Nu waren de woorden van haar ouders glashelder te verstaan.

'Vanmorgen vroeg zat ze trouwens achter haar bureau met voetbalschoenen aan.'

'Wat! Waarom in vredesnaam?'

'Met voetbalschoenen, zei ze, kan ze beter nadenken, kan ze beter huiswerk maken.'

Isa hoorde haar vader een zucht slaken die uit z'n tenen leek te komen.

'Heb ik je al verteld van die gevul...'

'Ja, dat heb je al verteld. Ze plaagt je graag, meisjes van dertien plagen hun vaders. Dat is algemeen bekend.'

Even viel er een stilte. Isa stond als een standbeeld in de tuin.

'Tja, ze is echt gek van dat voetbal.'

'Zoals jij gek bent van een gemberbol, Daan. Dat fanatieke heeft ze van jou.'

'Zou het?'

'Ik heb nog meer nieuws voor je. Ies noemt zichzelf de laatste tijd Isa Lauriera.'

'Lauriera? Wat is dat voor onzin?'

'Het komt door Marta.'

'Marta? Marta wie? Van de boekhandel?'

'Nee, niet van de boekhandel. Haar achternaam ken ik niet, maar ze is een voetbalprof uit Brazilië. Ies heeft foto's van haar in haar agenda.'

'Maar waarom Laurier-a? Is Laurier niet meer goed genoeg of zo?'

'Kijk niet zo gekweld, schat.'

'Mmh, mmh.'

'Ies is dol op die Marta en volgens haar klinkt Lauriera echt Braziliaans, vandaar. Dat is toch grappig?'

Ze had deze woorden nog niet gezegd of Isa liet de bal uit haar nek rollen, plukte hem met haar linkervoet uit de lucht, liet hem op haar wreef liggen alsof hij daar was vastgelijmd, wipte hem op en loeierde hem met rechts keihard in het doeltje. 'Wat een mooie goal van Isa Lauriera!' gilde ze tegen het raam. 'Dat willen we nog eens zien!'

Later op de dag ging Isa weer op pad met een grote banketbakkersdoos, dit keer gevuld met gebakjes. Elke zaterdag waren er gebakjes over die haar vader niet meer kon verkopen. Wat moest je daar nou mee doen? Weggooien? Nee! Isa's vader kreeg het lumineuze idee om vaste klanten in de buurt op zondag een gebakje cadeau te doen. 'Dat noemen we relatiebeheer, Ies,' had hij gezegd. 'En als een mooi meisje als jij aan de deur komt is het voor die mensen dubbel feest.'

Isa vond dit rondje taart altijd leuk om te doen. Overal waar ze kwam, werd geglimlacht en ook was het fijn om Debbie te verwennen. Haar beste vriendin woonde in de buurt en werd nooit overgeslagen.

'Jippie!' riep Debbie, toen ze die middag de deur opendeed. 'Daar is de taartenfee. Is er nog een puntje kwark?'

'Voor jou altijd, Deb. Pak die maar. Die is het meest vers.'

'Lekker!'

'Ja, laat die ouwe taart maar liggen. Die lijkt te veel op de grensrechter van gisteren.'

Debbie liet haar kwarkpunt bijna vallen. 'Hou op, of ik pies in mijn broek.'

'Oké, ik zal me inhouden.'

'Heb je die brief van de KNVB al?'

'Nee, die zal morgen wel komen.'

'O, nou, ik ben benieuwd. Sms je me?'

'Tuurlijk.'

'Heb je het haar van Amy Winehouse al bekeken?'

'Nee, nog niet, maar nu moet ik verder!'

'Wacht even.' Ineens trok Debbie een samenzweerderig gezicht en op fluistertoon vroeg ze: 'Ga je ook weer naar je geheime klantje in het park?'

'Tuurlijk!'

'Kijk je wel uit dan!'

Isa glimlachte spottend. 'Ja, ja, tútje, ik kijk uit, maar ik ben geen Roodkapje, Deb, en hij is geen Boze Wolf!'

Isa kende de voorkeuren van de vaste klanten ondertussen uit haar hoofd. Mevrouw Ringeling op de Zijlvest was gek op harde Weners. Meneer Kleinjan in de Burgemeester Sandbergstraat ging altijd door de knieën voor een moorkop. Een kersentasje was weer zeer besteed aan mevrouw Hemelsoet, want die vindt 'mijn man de dokter zo verrukkelijk.' Mevrouw Van Liempt had een zwak voor bananensoezen en meneer Den Bakker deed een moord voor een chipolatapunt.

Nu was er één klant waar Isa nooit met haar ouders over sprak. Deze man zat altijd op hetzelfde bankje in het Kenaupark met een blik bier in z'n hand. Aan het hoofd van deze zwerver was vrijwel alles donker: z'n gezicht, haar en baard waren donkerbruin en z'n wenkbrauwen zwart, net als z'n lange wimpers, maar z'n ogen waren verrassend genoeg lichtblauw. De man stonk naar bier en Isa had geen idee hoe oud hij was. Hij kon vijftig zijn, maar ook zeventig. Op haar rondje taart was deze zwerver sinds kort Isa's laatste klant. Dat kwam door z'n ogen. Toen ze met de taartdoos door het park liep was ze geraakt door zijn zachte, bijna lichtgevende blik.

'Wil je misschien een taartje?' had ze in een opwelling gevraagd.

In de lichte ogen kwam verbazing, maar de zwerver gaf

geen antwoord. Isa opende de taartdoos. Daar lag een roze marsepeingebakje te glinsteren.

'Je mag hem hebben, hoor, echt, pak maar.'

'Oei, dat durf ik niet,' zei de man met een vage glimlach. Zijn stem was warm, maar klonk ook vermoeid.

Daarop pakte Isa zelf het taartje en zette het op de bank. 'Alsjeblieft!'

'Tjonge,' zei de man, 'van zoiets gaat mijn baard recht overeind staan!' Hij zette z'n blikje bier naast zich en trok met beide handen zijn baard naar voren, waarop Isa in de lach schoot. Toen keek hij haar met fonkelende ogen aan. 'Waarom doe je dit?'

'Nou, gewoon.'

'Hmm,' bromde hij, 'ik vind dit eerder buitengewoon. Ik ben niet eens jarig!'

'Eet smakelijk,' zei Isa en ze wilde doorlopen.

'Ho, ho, niet zo snel, ik wil jou ook wat geven.' De zwerver tastte in de binnenzak van zijn lange, zwarte jas. 'Kijk eens!' In zijn hand, die vol littekens zat, hield hij een helderblauw veertje.

'Mooi, is dat van een tropische vogel?'

Dit keer schoot de zwerver in de lach, waardoor Isa kon zien dat hij veel tanden miste.

'Nee, nee, niks tropisch. Dat veertje zat op de vleugel van een Vlaamse gaai.' Hij had naar de bomen achter zich gewezen. 'Daar woont hij, in een eik.'

Het veertje had Isa later die dag met plakband in haar agenda geplakt, naast een actiefoto van Marta. De zondag daarop nam de man zelf een gebakje uit de doos, een mergpijpje. Nu, op de dag na Isa's juweel van een goal, greep hij naar een tompouce en beet met wijd open mond in de boven- en onderlaag, zodat de gele pudding eruit stulpte. Zijn baard zat meteen vol puddingsliertjes.

'Nee, nee!' riep Isa. 'Zo moet dat niet!'

Hij keek haar verbaasd aan.

'Tompouce eten zonder knoeien is moeilijk. Ik ben dochter van een banketbakker en ik heb uitgevonden hoe het wel moet.'

Maar de zwerver zette z'n tanden alweer in het bladerdeeg en de pudding, waardoor z'n baard nóg geler werd en er nóg meer roze suiker aan zijn lippen en mondhoeken bleef kleven. Toen het gebak was verdwenen, smakte hij lang na. 'Een tompouce,' verzuchtte hij, 'poeh, dat is misschien wel dertig jaar geleden.' Na deze woorden staarde hij een poosje zwijgend naar het gras. 'Ach,' zei de zwerver toen, 'laten we eens een keer een babbeltje maken. Kom je nu voortaan elke zondag?'

'Ja,' ratelde Isa, 'ik maak een rondje taart voor m'n vader, de banketbakker. Dit gebak is over van zaterdag, en zondag en maandag zijn we gesloten.'

'Ach zo, ik snap het. Maak je dat rondje al lang?'

'Al een hele tijd, maar sinds kort ga ik door het park om een stuk af te snijden en vanwege het mooie groen.'

'Het mooie groen,' mompelde hij zachtjes voor zich uit. Z'n glimlach werd breder.

Isa staarde naar de glinstering in de ijsblauwe ogen. Waar komen die lichtjes toch vandaan? dacht ze.

De zwerver nam een grote slok bier en veegde z'n mond af. 'De laatste tijd zie ik weinig andere kinderen in het park.'

'O?'

'Hoe heet je eigenlijk?'

'Isa,' zei Isa.

'Ik ben Morris,' zei de zwerver en hij gaf haar een hand die nog plakkerig was van de banketbakkersroom.

Bonbon

Isa was die maandag net uit school en zat achter haar computer. Op YouTube bekeek ze filmpjes met de mooiste goals van Dennis Bergkamp, Louisa Necib, Marta Vieira da Silva en Zinédine Zidane. Daarna waren de tien mooiste vrije trappen van David Beckham aan de beurt. De Engelsman schoot ze erin alsof het penalty's waren. Eigenlijk moest Isa geschiedenis leren, maar daar had ze geen zin in. Dit is, dacht ze, de ideale warming-up voor zoiets afschuwelijks als huiswerk. Nadat Beckham zijn laatste vrije trap over het muurtje in de kruising had gekruld, googelde Isa de naam Amy Winehouse. Ze keek en luisterde ook naar de zangeres, maar vond er niet veel aan, hoewel Amy's kapsel inderdaad abnormaal hoog was. Al snel was Isa weer terug bij het voetbal. Ze typte de naam Zlatan in en bij toeval stuitte ze op een filmpje, waarin deze voetballer vijf keer een stukje kauwgom op zijn rechtervoet hooghoudt om het vervolgens hoog de lucht in te schieten en in zijn mond op te vangen. 'Don't try this at home!' zei Zlatan stoer in de camera.

'Nou ja, zeg,' zei Isa hardop tegen het beeldscherm. 'Dat is toch niet gevaarlijk of zo, Zlatan! Dat is een makkie. Ik...'

TIK TIK

26

Daar klepperde de brievenbus. Isa sprong op van haar stoel en rende de trap af naar het halletje. Was daar dan eindelijk de beloofde brief? Ja! Daar lag inderdaad een brief op de deurmat en dit kon niet mis, want op de envelop prijkte het logo van de voetbalbond, een oranje leeuw met vlammende manen en een kroon op z'n kop. Isa scheurde de envelop in één ruk open en las:

Beste Isa Laurier,

Bij dezen nodigen we je namens het Districts-elftal onder veertien jaar (District West 1) uit voor een vriendschappelijke wedstrijd tegen de jongens van FC Lisse c1. De wedstrijd zal op woensdagavond 23 september plaatsvinden om 19.00 uur op het hoofdveld van FC Lisse. Zorg dat je een uur van tevoren aanwezig bent, zodat je genoeg tijd hebt om kennis te maken met de staf en je ploeggenoten. Voor voetbal-kleding wordt gezorgd. Onderstaande speel-sters worden verwacht:

Er volgde een lijst van zestien namen, waaronder die van Isa. De brief was met pen ondertekend door coach Martin van Os en assistent-coach Laura Coster. Achter hun namen stonden hun telefoonnummers. Isa staarde naar de namen van de geselecteerde speelsters. Ze kende er geen een van. Toen trok ze een sprintje door de gang. 'Pap!' riep ze. 'Pap, de brief is binnen!'

Het was maandag en dus was de winkel dicht. Isa's moeder was naar tante Els in Bennebroek, maar haar vader was in de bakkerij bezig. Sinds kort probeerde Daan Laurier zelf bonbons te maken en daar besteedde hij al z'n vrije tijd aan. Isa stormde de bakkerij binnen. 'Hoi, pap. De brief is binnen!'

'Welke brief?'

'Ja duh, van de KNVB!'

'O ja, laat me eerst dit bonbonnetje even afwerken. Het gaat om grammetjes, niks te veel, niks te weinig, precies genoeg. Nu nog even afdekken met een fluwelen laagje bittere chocola. Zo, klaar! Goed, laat maar eens zien.'

Isa gaf hem de brief. 'Ik heb aanstaande woensdagavond een wedstrijd in Lisse.'

'O, dan kan mama je wel brengen.'

'Ik moet om zes uur aanwezig zijn.'

'Ja, ja, ik kan zelf lezen, Ies.'

Op een zacht vuurtje stond chocoladesaus te pruttelen. Naast het fornuis stonden boter, eierstruif, oranjeschaafsel en dunne room klaar. Isa's oog viel op dwars doormidden gesneden bonbons uit de winkel, bonbons van beroemde merken als Leonidas.

'Je voetbalt tegen jongens,' zei haar vader met een bedenkelijk gezicht.

'Ja, en?'

'Nou ja, ik....'

'Ik kan ze makkelijk aan, hoor!' zei Isa fel.

'Ja, ja, dat zal ook wel.'

'Waarom snij je die bonbons eigenlijk doormidden?'

Meteen leefde Isa's vader op. 'Van de concurrenten kan ik leren. Kijken, ruiken, proeven en dan zelf iets verzinnen, dáár gaat het om. Ik heb vanmorgen een variant gemaakt op de Mozartkugel: een klein balletje, waarin normaal gesproken onder een dikke laag pure chocola een kern van noga zit met laagjes marsepein eromheen.' Haar vader begon steeds enthousiaster te praten. De woorden rolden nu met sneltreinvaart uit zijn mond. 'Ik heb er iets nieuws aan toegevoegd, een prachtig detail, ja, ja, de Laurierkugel smaakt misschien wel beter dan de Mozartkugel!'

'Laurierkugel?'

'Mijn eigen kugel! Hoe vind je dat?'

Haar vader snelde heen en weer naar een glazen bakje, waarin vier balletjes van chocola lagen. 'Proef maar,' zei hij nahijgend van het sprintje.

Isa pakte een balletje.

'Eigenlijk moet dat met een pincet,' zei haar vader op bloedserieuze toon.

Het chocoladeballetje voelde hard aan en ineens moest Isa aan Zlatan denken. Don't try this at home!

'Geef me eens een beetje ruimte, pap!'

'Hoezo?' Verbouwereerd deed haar vader toch twee stappen achteruit.

'Let op!' Isa legde de Laurierkugel op haar rechtergymschoen.

'Wat zullen we nou krijgen?' riep haar vader. 'Wat...'

Verder kwam hij niet, want Isa zwiepte het chocoladebolletje in de lucht en trapte de bonbon met haar rechtervoet steeds hoger naar het plafond.

'Een, twee, drie, vier, vijf,' telde Isa hardop.

Bij de vijfde trap kwam het bolletje boven Isa's hoofd uit. Ze ging snel onder de baan van de Laurierkugel staan en opende wagenwijd haar mond.

TJOP!

De bonbon verdween achter haar lippen en prompt kreeg

haar vader weer spraakwater. 'Verdorie!' riep hij kwaad. 'Dit is de laatste keer dat jij tegen een... een kúnstwerk trapt! Ben je gek geworden? Ik...'

'Ik proef gedroogd fruit, pap.'

Meteen was haar vader stil. Isa kauwde de bonbon heel langzaam weg en zei toen: 'Ananas, papa. Ananas en een krulletje sinaasappel.'

Daan Laurier z'n mond viel letterlijk open. Toen rende hij op Isa af en omhelsde haar. 'Kind van me!' riep hij verheugd uit. 'Je hebt talent!'

Tietaa

Van Haarlem naar Lisse was een autoritje van nog geen halfuur, maar Isa en haar moeder waren die woensdagmiddag extra vroeg vertrokken vanwege het drukke verkeer. Isa was zo opgewonden dat ze af en toe niet hoorde wat haar moeder zei.

'Lief van papa die verrassing.'

Stilte.

'Hallo, Isa!'

'Sorry mam, wat zei je?'

'Lief van papa die verrassing.'

De verrassing stond die ochtend naast haar computer: een tompouce met in het glazuur de afbeelding van een voetbalschoentje.

'Ja, hartstikke lief.'

Door die tompouce moest Isa ineens weer aan haar geheime klant denken. Na het noemen van z'n voornaam hadden ze best lang gepraat.

'Goed dat ik zo met die tompouce heb geknoeid,' had Morris gezegd. 'Hebben de vogeltjes ook wat lekkers. Ze verdienen het.'

'Hoezo?' vroeg Isa.

'Vanwege hun lied.'

'O?'

'Vanmorgen vroeg, Isa, begonnen de pimpelmeesjes te zingen met van dat hoge gepiep.' Morris tuitte z'n lippen.

'SI-SI-SISI-SISI-SI-DU.'

'Herken je dat? Daarna werd de zang sneller met zo'n fraaie eindtriller. Hoor maar eens!'

'SIE-SIE-SIEDURRRRRRR.'

'Koolmezen kwamen er wat later met hun TIETAA-TIETAA hard bovenuit, net een politiewagen, maar algauw werd het wat ritmischer. Luister!'

'TIE-CHER TIE-TIE-CHER, TI-TI-CHER.'

'In de bomen bij het water begonnen de merels tegen elkaar op te zingen, zacht en vloeiend.'

'PINK-IE-PINK-IE-PINK.'

'Helaas was hun slotzang wat krasserig, maar toen begon een roodborst aan een liedje dat alles goed maakte.'

'TIK-TIK-SIE-SIE-TIK-TIK-SIE-SIE.'

'Dat liedje had iets opgewekts en treurigs tegelijk.'

Isa keek de zwerver stomverbaasd aan. Het was ongelofelijk dat zijn ruwe lippen zulk mooi vogelgezang voortbrachten.

Morris gooide z'n hoofd in z'n nek om een slok bier te nemen. Hij goot zeker de helft van het blik in z'n keelgat. Daarna boerde hij binnensmonds.

'Wat doe je ze goed na, zeg!' verzuchtte Isa. 'Niet normaal meer!'

'Ik krijg al jaren les, ze weten dat ik zit te luisteren.' Ineens stak hij z'n wijsvinger in de lucht. 'Hoor eens! Hoor je dat?'

Isa dacht in de verte een scheidsrechtersfluitje te horen.

'Een merel, beeldschone zang!'

Tijdens de zangpartij van de merel liet Isa haar blik over de omgeving dwalen. Vlak achter de bank van Morris leidde een bemost paadje naar eiken en platanen. Honderden takken vormden een dak. Sliep Morris 's nachts tussen de bomen of op de bank? Ze keek naar z'n haveloze tas, een linnen exemplaar met twee riempjes als sluiting. Zaten daar al z'n bezittingen in?

'Mij ontbreekt het aan niets,' zei Morris, die Isa naar de tas zag loeren.

'Slaap je hier ook?'

De zwerver knikte. 'Hier achter, onder de bomen, vlak bij het water, heb ik een tentje. Niet verder vertellen, hoor.' Morris wees op het bankje. 'Maar dit is overdag mijn eigen vierkante meter. Hier is mijn koninkrijk. Hier ben ik mezelf. Hier ben ik de baas en doe ik wat ik het liefst doe.'

'O? Wat is dat dan?'

De ogen van Morris stroomden vol licht. 'Ik ben goed in niksen. Er is niks heerlijkers dan niksen. Eigenlijk heb ik in m'n leven veel te weinig genikst.'

'O?'

'Doezelen is ook fijn, een beetje mijmeren.'

'Mijmeren doe ik ook veel,' ratelde Isa, 'dan zit ik in de klas te dromen dat ik in Oranje voetbal en wonderdoelpunten maak, dat ik prof ben.'

'Ach,' zei Morris. 'Wat leuk.'

'Ik zit nu in het Districtselftal.'

'Knap hoor, maar wees je niet te ruw met de grassprieten?'

Isa lachte, maar toen keek ze Morris enigszins bezorgd aan. 'Is dat niet gevaarlijk, slapen in het park? Laatst is er nog een zwerfster 's nachts in brand gestoken. Hier vlakbij. Toch?' Isa wist het uit de krant. De zwerfster, een jonge vrouw, lag met brandwonden in het ziekenhuis. De daders waren nog niet gepakt.

'De vogeltjes waken over me, Isa,' had Morris toen in z'n baard gemompeld. 'Ze wáken over me!'

'We zijn mooi op tijd, Ies.'

'Ja, mam.'

'Ben je zenuwachtig?'

'Nee.'

Isa dacht aan Gabriëlle. In de kantine van src had ze gezegd: 'Jij straalt lef uit, Ies, omdat je de techniek beheerst. Jij bent geen meeloper, geen ballen-inleveraar, óók niet in het Districtselftal. Denk erom!'

Isa's moeder keek opzij. 'Het is lang geleden dat ik je heb zien spelen.'

'Ja.'

'Ken je eigenlijk andere speelsters van dat team?'

'Nee.'

Haar moeder schudde haar hoofd om dat botte ja en nee en zette de radio aan. Daar klonk een liedje dat Isa niet kende. Haar moeder wel. Ze zong luid mee: 'Wat heb ik nou aan algebra, nu ik voor de keuze sta. Jij vraagt van wie ik nou, het meeste hou. Ik hou van jou, maar ook van hem, ik hou van kaas, maar ook van jam.'

Toen het liedje was afgelopen zong Isa heel hard: 'Wat heb ik nou aan algebra, als ik voor de keeper sta?'

Haar moeder schoot in de lach. 'Nu je over algebra begint. Heb je je huiswerk eigenlijk al af?'

Isa mompelde iets onverstaanbaars.

'Wat zeg je?'

'Ja-ha.'

'Nou ja, ik vraag het maar. Ik...'

'Kijk!' riep Isa. 'Daar zijn de velden van FC Lisse.'

Balgevoel

Isa en haar moeder werden in een vrijwel lege kantine opgevangen door coach Martin van Os, een man met zo'n typisch voetballoopje. Zijn haar was bij de slapen grijs, zijn handdruk was stevig en koel.

'Zijn we te vroeg?' vroeg Isa's moeder bezorgd.

'Welnee, mevrouw Laurier. Iemand moet de eerste zijn en dan heb ik tenminste tijd voor een praatje met Isa.' De trainer wendde zich tot Isa. 'Je bent toch een spits?'

'Ja, Martin!'

'Noem me maar trainer, dat doet iedereen.'

'Ja, trainer!'

Martin van Os glimlachte. 'Laura, mijn assistent, heeft je twee weken geleden zien spelen. Ze was onder de indruk.'

'Dat was tegen Geel-Wit. Ik maakte er eentje.' Isa zag het doelpunt nog glashelder voor zich. Ze voelde het ook. Het lobje met links over de keeper zat nog steeds in haar voet, zoals muziek bewaard blijft in de onzichtbare putjes van een cd.

'Ik ben nieuwsgierig naar je.' Martin bekeek haar van top tot teen. 'Je ziet er sterk uit. Sinds wanneer doe je aan voetbal?'

'Op mijn vijfde werd ik lid van de Gazellen, maar daarvoor was ik al met een bal bezig in de tuin en op straat.'

'O, hadden je ouders een bal in de wieg gelegd in plaats van een pop?'

'Nee, mijn vader heeft juist niets met sport, maar mijn moeder heeft goed getennist. Zij heeft balgevoel, net als ik.'

Isa's moeder bloosde.

'Wat is je doel als het om voetbal gaat?'

'De top! Vanaf mijn zevende wist ik dat ik profvoetballer wilde worden, een echt goeie, zoals Marta.'

Martin kreeg een dromerige blik in zijn ogen. 'Marta Vieira da Silva, een spits met een gouden linkervoetje en een naam als een gedicht. Ben jij ook links?'

'Ik ben links en rechts.'

'Zo, zo. Hoe speel je bij je eigen club? Wat is jullie systeem?'

'We spelen 4-3-3, maar eigenlijk val ik buiten de systemen,' zei Isa. 'Ik moet van onze coach de vrije ruimte opzoeken, gaten maken, onrust stoken. Ik moet vrij zijn en altijd gáán, gáán, gáán!'

'Hmm, hoeveel keer trainen jullie in de week?'

'Eén keertje, op donderdag, maar eigenlijk train ik elke dag in onze tuin, elke dag.'

Martin kneep één oog halfdicht alsof hij het maar half geloofde. 'Ach zo, en wat is je grootste kracht?'

'Ik loer altijd op kansen. Ik wil goals maken.'

Steeds meer speelsters kwamen met hun ouders de kantine binnen. Deze meiden hadden al een wedstrijd in het Districtselftal achter de rug. Martin stelde Isa aan hen voor als 'onze nieuwe aanwinst die op het laatste moment is ontdekt'. Assistent-trainer Laura Coster voegde zich ook bij de groep. Over haar schouder droeg ze een grote tas met kousen, broeken en shirts. Nu werd het tijd om naar de kleedkamer te gaan en daar kreeg Isa het shirt met nummer 10, een hemelsblauw shirt met ter hoogte van de borst de gestikte letters: KNVB. Isa was hierdoor zo aangegrepen dat haar ademhaling even stokte. 'Het is net echt,' mompelde ze zachtjes voor zich uit.

Op de rechterpijp van haar hagelwitte broek stond eveneens het nummer 10. De witte kousen waren zeer elastisch. Daar pasten wel twee stuks scheenbeschermers onder. Isa telde stiekem het aantal speelsters. Ze waren inderdaad, zoals in de brief aangekondigd, met zestien. Dat betekende vijf wisselspeelsters. Vijf meiden moesten op de bank beginnen.

Maar ik niet, dacht Isa, ik wil spelen! Ze trok haar voetbalschoenen aan en stampte met haar noppen op de betonnen vloer.

Martin keek geamuseerd toe. 'Goed, meiden,' nam hij het woord. 'Vandaag spelen we een oefenwedstrijd tegen de jongens van FC Lisse C1. Deze jongens zijn technisch erg goed en dat is belangrijk voor ons, want hoe meer tegenstand hoe beter. Daar leren we alleen maar van.'

Enkele meiden zaten instemmend te knikken.

'Voetbal is een simpel spelletje. Bij balverlies zoek je je tegenstander op, bij balbezit loop je van je tegenstander weg. Zoals ik al in de kantine zei, ben ik een voorstander van creativiteit. Individuele klasse geeft in een wedstrijd vaak de doorslag. Pingelen is dus niet verboden, want als je pingelt maak je niet alleen ruimte voor jezelf, maar ook voor anderen. Bovendien moet het publiek vermaakt worden.'

Zeker weten, dacht Isa.

'Natuurlijk verwachten Laura en ik vanavond ook inzet. Jullie moeten zo hard werken dat je straks te moe bent om een *schwalbe* te maken, je weet wel, zo'n fopduik!'

Er klonk gelach.

'Nog even over de tegenstanders. Die jongens zullen blijven draven tot de dood erop volgt, want ze willen natuurlijk niet van meiden verliezen. Laat ik jullie dit vertellen: winst of verlies is vanavond niet zo belangrijk. Het gaat erom dat jullie elkaar op het veld beter leren vinden en dus nog beter gaan voetballen. Goed, de opstelling.'

Isa's handen werden klam. In haar lijf voelde ze een enorme opwinding. Ze staarde naar de punten van haar schoenen. De trainer begon bij de keepster en de achterhoede: de linksback, voorstopper, laatste vrouw en rechtsback. Allen

genoemd bij voor- en achternaam. Toen was het midden-
veld aan de beurt: de linkshalf, de midhalf en de rechtshalf.
Daarna de aanvallers: de linksbuiten, de rechtsbuiten... en
toen was het voor Isa alsof er een stem uit de hemel klonk:
ISA LAURIER IN DE SPITS!

In een pashokje

Op het hoofdveld van FC Lisse, een biljartlaken in vergelijking met het afgetrapte veld van src, kwam Isa tijdens de warming-up tot rust. Als ze eenmaal met de bal dribbelde, daalde er meteen iets krachtigs in haar neer en was ze alle zenuwen kwijt. Ze zwaaide naar haar moeder die achter de reclameborden stond. Als antwoord kuste Isa's moeder haar vingers en wierp de zoen de lucht in.

Mama staat altijd achter me, dacht Isa, wat ik ook doe of wil! Ondertussen probeerde ze zich de namen van haar nieuwe medespeelsters te herinneren. De linksbuiten heette Fatima en de rechtsbuiten Sonja. Dat was zeker. Dan had je nog midhalf Cindy, die tevens aanvoerder was. De andere namen was Isa alweer kwijt. Ze dacht aan de woorden van Martin. Anders dan bij de Gazellen had ze nu juist geen vrije rol, ze moest positie houden, wat zeggen wilde: in de spits blijven. Vlak voor het begin van de wedstrijd riep de assistent-coach Isa nog even bij zich.

'Voor jou is het allemaal nieuw,' zei Laura Coster. 'Begin vooral rustig. Denk aan de wet van Cruijff.'

'Cruijff? Wie is dat?' vroeg Isa met een stalen gezicht.

'Wat zeg je nou?'

'Geintje! Ja, ja, ik ken zijn wet, dat is toch de bal één keer raken.'

'Inderdaad ja, de bal in één keer doorspelen naar je medespeelsters.'

Aan Laura's stem hoorde Isa dat ze haar grapje niet leuk vond.

'Je moet dus niet meteen gaan rennen met de bal. Dat komt straks wel. Oké?'

Isa knikte.

'Mooi zo.'

En toen kwam de scheidsrechter en begon de wedstrijd.

Al snel merkte Isa dat deze meiden beter waren dan haar medespeelsters bij de Gazellen. De bal ging snel rond en er werd heel wat afgetikt en gekaatst, ook door de jongens. Iedereen leek zich wel aan de wet van Cruijff te houden! Veel ballen werden ook breed gespeeld in plaats van diep en daar werd Isa onrustig van. Na tien minuten had ze nog geen bal gehad. Dat geschuif schiet niet op, dacht ze, dan ga ik zelf de bal wel halen! Isa rende in de richting van de middencirkel en haar directe tegenstander, de voorstopper, liep als een hondje achter haar aan.

'Nee, Isa!' gilde Laura vanaf de bank. 'Blijf diep! Hou positie!'

Maar Isa luisterde niet en naderde onstuitbaar de middencirkel, waar Cindy stond met de bal aan haar voet.

'Cindy!' gilde Isa. 'Hier!' Ze sprintte nu werkelijk op Cindy af die de bal naar haar passte. In plaats van hem aan te nemen of terug te kaatsen, liet Isa de bal van haar buitenkantje rechts schampen, waardoor hij met een boogje om de in haar nek hijgende voorstopper krulde. Zelf draaide ze zich bliksemsnel om en terwijl de bal links langs de jongen rolde, rende Isa hem rechts voorbij en pikte de bal weer op.

'Mooi bruggetje, Isa!' brulde Martin vanuit de dug-out.

Isa had nu een flink stuk open veld voor zich en dribbelde op de laatste man af. Op twee meter afstand van de jongen aaide ze met de buitenkant van haar rechtervoet over de bal, een soort overstapje. Meteen daarna tikte ze de bal met haar linkervoet explosief kort langs zijn rechterbeen. In een flits vloog ze erlangs.

'Lekkere schaar, Isa!' riep Martin weer uit volle borst.

De bal rolde enkele meters het strafschopgebied binnen en lag klaar voor Isa's linkerbeen. Om haar heen riepen medespeelsters om de bal, maar dat was tevergeefs. Met een flitsende blik taxeerde Isa de positie van de keeper. Aan algebra had ze nu inderdaad niets, wat ze nodig had was een buitenkantje links, een trap tegen de bal met de buitenkant van de wreef. Isa deed wat ze moest doen en met een verraderlijke boog vloog de bal langs de handen van de keeper in de verre hoek: 0-1!

Martin en Laura schoten omhoog van de bank. 'Wereldgoal, Isa!' riepen ze in koor.

Haar medespeelsters feliciteerden Isa. Dat ging niet zoals bij de Gazellen, waar de meiden na een goal een zo hoog mogelijk hoopje maakten, nee, hier kreeg ze van Cindy een hand, Fatima gaf een schouderklopje en de andere speelsters riepen haar van een afstandje toe dat het een mooi doelpunt was. Isa zelf was gek van vreugde, maar haar juichstemming was van korte duur. De jongens begonnen scherper te voetballen en binnen vier minuten lag de gelijkmaker al in het doel. Even later maakten ze zelfs 2-1. 'Kom op, meiden,' riep Martin vlak voor de rust. 'Kom op, Faatje. Ga er eens langs!'

Linksbuiten Fatima speelde de rechtsback inderdaad uit en gaf een hoge voorzet. De bal leek door een luchtvlaag over iedereen heen te waaien, maar Isa wist precies waar hij kwam en stond op de goeie plek, net binnen de zestien. Ze ontving de bal op haar linkervoet, een aanname zo fantastisch, dat ze tussen drie man in toch ruimte had. Twee voetbewegingen vloeiden in elkaar over en twee tegenstanders waren kansloos. Nummer drie moest een panna toestaan, een bal tussen de benen door, en toen stond Isa voor de keeper. Met gespreide armen kwam hij op haar af.

'Leg breed!' gilde Laura. 'Leg breed!'

Maar Isa maakte een schijntrap, zodat de doelman in het niets dook. Vervolgens schoof ze de bal ijzig kalm in het doel: 2-2!

Isa jubelde luidkeels en ook haar medespeelsters stonden na deze goal in vuur en vlam. Nu waren de felicitaties veel warmer. Cindy en Fatima omhelsden haar zelfs.

'Wereldgoal, Isa,' zei Cindy. 'Je maakt houten klazen van die gasten!'

Vlak na dit doelpunt blies de scheids voor rust en wat later in de kleedkamer keek Martin zijn spits aan met een mengeling van verwondering en trots. 'Verdorie Isa,' zei hij

Vierbenig

Na de rust ging de bal bij de meiden weer soepel van voet tot voet en dit kaatswerk bracht Isa enkele keren dreigend bij het vijandelijk doel, maar lang niet dreigend genoeg. De jongens op hun beurt kwamen niet veel verder dan wat speldenprikjes en in het laatste kwartier van de wedstrijd trokken ze een muur van spelers op rond hun strafschopgebied. Ondanks haar voetvlugheid liep Isa zich een paar keer vast.

'Speel nou eerder op mij, Ies,' klaagde rechtsbuiten Sonja, 'die gasten spelen betonvoetbal. Daar kom je nooit doorheen.'

Inderdaad passte Isa wat later de bal op Sonja, die hem daarna weer netjes bij haar inleverde. Tja, dacht Isa, dit schiet weer niet op! Daarop dribbelde ze nogmaals in de richting van het vijandelijk doel, maar dit keer bleef ze op zo'n twintig meter van de goal stokstijf staan. Voor haar rees de onwrikbare muur aan tegenstanders op. Isa sloeg haar armen over elkaar en zette haar voet op de bal alsof ze poseerde voor een fotograaf. 'Jongens, toch!' riep ze op plagerige toon. 'Kom toch eens uit je hok! Of durven jullie niet?'

Isa's list werkte. Meteen renden twee jongens op haar af.

Isa hield haar lichaam tussen hen en de bal, hoe hard ze ook tegen haar aan duwden.

'Kom maar, Ies,' riep Sonja. 'Hier! Snel!'

Isa gaf de bal in een oogwenk af en sprintte direct naar het zojuist ontstane 'gat' in de muur. Daar ontving ze de bal van Sonja terug. Isa had nu nog drie man voor zich en deed net of ze op doel wilde knallen, waardoor het trio iets terugweek. Nu kreeg ze ruimte om nog meer op te stomen en echt te schieten met haar buitenkantje links. Vol topspin landde de bal op de lat, sprong draaiend als een tol terug in het veld, waarna Fatima hem jammer genoeg hoog over schoot.

Toen de scheidsrechter voor het eindsignaal blies stond er nog steeds 2-2 op het scorebord. Iedereen van het Districtselftal was tevreden over dit resultaat, behalve Fatima, die mopperde over haar gemiste kans.

'Kop op, Faatje,' zei Martin. 'Er zat verschrikkelijk veel effect aan die toverbal van Isa. Daar moet je gewoon aan wennen.'

Nadat de speelsters zich hadden gedoucht en omgekleed, sprak Martin in de kantine met Isa en haar moeder.

'Mevrouw Laurier,' begon hij, terwijl hij z'n hand op Isa's schouder legde. 'Uw dochter is een groot talent. Ze is pas dertien, maar ze heeft de techniek van een topvoetballer. Dat meen ik.'

Isa straalde.

'Eh, ja, ja.' Meer wist haar moeder niet uit te brengen.

'U weet wat haar droom is?'

'Zeker weten!' riep Isa en haar moeder knikte.

'U weet dat er in dit land een begin is gemaakt met prof-voetbal voor vrouwen?'

'Jazeker.'

Martin keek Isa en haar moeder beurtelings recht aan. 'Nou, misschien kan Isa volgend seizoen de overstap maken naar ADO Den Haag, echt een bolwerk van vrouwenvoetbal. Bij een grotere club wordt ze nog beter en ik heb geen glazen bol, maar ik zie Isa op haar zestiende zo een overstap maken naar Japan of de Verenigde Staten. Daar is het vrouwenvoetbal echt groot en kan ze ook nog eens veel geld verdienen en nog meer leren.'

'Jippie!' juichte Isa. 'Hoor je dat, mam! Ik...'

'Nou, nou,' zei haar moeder, 'dit gaat wel heel snel, meneer Van Os.'

'Wat goed is, komt snel, dat is een voetbalwet.'

'O ja?' vroeg Isa's moeder bedremmeld. 'Is dat zo?'

'Zeker weten!' riep Isa met vuurrode wangen.

Martin glimlachte. 'Ze is sterk. Over een jaar kan ze zo in Oranje onder 15.'

Isa's moeder kon nu niets anders doen dan knikken, zo overweldigd was ze door de mededelingen van Martin.

'Trainer, ik hoor er nu dus echt bij, hè?'

'Natuurlijk!' riep hij uit. 'Stel je voor! Jij bent een wereld-spits!'

'Ah, mooi. Nou... eh... eh.'

'Ja, zeg het maar.'

'Nou, ik hoorde van Cindy dat we misschien onze namen op ons shirt krijgen. Is dat waar?'

'Cindy heeft helemaal gelijk.'

'Mag er dan misschien een A achter mijn naam?'

'Hoe bedoel je?'

'Nou, dan krijg je Lauriera. Klinkt zo echt, zo lekker Braziliaans.'

Martin aarzelde. 'Nou, eh…'

'Ach toe!'

'Oké,' gaf hij zich snel gewonnen, 'jij wordt onze Isa Lauriera.'

Isa huiverde van geluk en omhelsde haar moeder, die nauwelijks meer een woord kon uitbrengen.

'Jullie krijgen dus namen op je shirt,' richtte de trainer zich luidkeels tot de anderen, 'maar er is nog meer mooi nieuws. Op zaterdag 28 november spelen we een toernooi in Brussel!'

'Cool!' juichten de speelsters. 'Vét cool!' Na al dit gejubel praatte het gezelschap nog wat na, onder meer over Isa's truc om 'een muur te slopen' zoals Sonja het noemde. Martin gaf al zijn speelsters complimenten, maar bewaarde het mooiste voor z'n spits. 'Isa,' zei hij, 'ik ken genoeg voetballers die tweebenig zijn, maar ik ken er maar heel weinig die vierbenig zijn.'

Iedereen schoot in de lach.

'Ja, jij bent werkelijk vierbenig,' vervolgde Martin op serieuze toon, 'omdat je zowel met je linker- als rechterbuitenkant van je voet kunt schieten.'

Isa's wangen werden weer vuurrood.

'Ik proost daarom op jouw vier benen, wereldspits!'

Alle speelsters hieven hun glas.

Morris

'Een internationaal toernooi?'

'In Brussel,' zei Isa. 'Op zaterdag 28 november.'

'Gossiemijne!' mompelde Debbie, terwijl ze een hap van haar broodje gezond nam. Toen keek ze haar vriendin enigszins beteuterd aan. 'Dan zullen we het die zaterdag zonder jou moeten doen.'

Isa knikte. 'Volgend seizoen ga ik waarschijnlijk naar ADO Den Haag.'

'Wat zeg je nou?'

'Dat is tenminste de bedoeling. Als ik zo blijf spelen is dat goed mogelijk.'

'Vet!'

'En dan...'

'Wat dan?'

'Dan komt Oranje onder 15 in beeld en ligt er misschien een profcontract voor me klaar in Japan of Amerika!'

Debbies suikerspin wiegde heftig heen en weer. 'Gossiemijne, dat is fantastisch. Dat heb je toch altijd gewild?'

Isa knikte.

'Maar je vader? Wat zegt hij ervan?'

'Ach, mijn vader is er niet blij mee, maar ik weet wat ik

wil.' Isa staarde even naar de paars gelakte nagels van haar vriendin. 'Niemand houdt me daarvan af.'

'Gelijk heb je! Shit hé, als ik de kans kreeg om tekenares te worden greep ik hem met beide handen aan. Zeker weten!'

'Jij gaat je droom ook waarmaken, Deb. Als ik zie hoe goed jij tekent en schildert. Niet normaal meer.'

Debbie knikte dankbaar.

'Maar zul je het niet tegen de andere speelsters zeggen.'

'Wat?'

'Van ADO en Japan en zo.'

'Nee, natuurlijk niet.'

'Fijn, weet je, het... eh klinkt anders zo opschepperig.'

Debbie en Isa zaten na schooltijd op hun favoriete plekje in Haarlem: de bovenste etage van de V&D. Vanachter het glas hadden ze daar een prachtig uitzicht over de stad. Ze keken uit over de Grote Kerk, de koepelgevangenis, de sterren-wacht op het dak van het Teylers Museum en ook konden ze hun school zien.

'Wat had je eigenlijk voor je Frans?' vroeg Debbie.

'Een zesje, precies genoeg.'

'Jij mikt het echt uit, hè?'

'Natuurlijk! Mijn echte huiswerk is het schaven aan mijn buitenkantje links.'

'Tja, als je toch prof wordt.'

Isa vertelde Debbie over het liedje dat ze in de auto op weg naar Lisse hoorde. Ze had het op YouTube opgezocht en nogmaals beluisterd. Het was een liedje van een zangeres die Loeki Knol heette.

'Loeki Knol?' zei Debbie met een vies gezicht. 'Wat een gekke naam voor een artiest.'

'Zeg dat wel, maar moet je luisteren!' Isa haalde haar mobieltje tevoorschijn, schoot het internet op en even later hoorde ook Debbie het liedje over algebra.

'Ik heb er een variant op gemaakt,' zei Isa grinnikend.

'Een spitsenvariant.' Zachtjes zong ze: 'Wat heb ik nou aan geschiedenis, als ik grote kansen mis? Wat heb ik nou aan algebra, als ik voor de keeper sta? Wat heb ik nou aan de Franse taal, als ik voor de keeper faal?'

Beide meiden schoten na Isa's zangkunsten in de lach. Aan de andere tafeltjes klonk ineens geroezemoes. Ook daar hadden ze kennelijk meegeluisterd.

'Maar die Martin,' vroeg Debbie. 'Die ziet het dus helemaal zitten met jou?'

Isa knikte en nam nog een hap van haar broodje. 'Ik heb hem gegoogeld,' zei ze met volle mond. 'Hij is zelf prof geweest bij ADO. Hij heeft daar goeie contacten en wil alles voor me regelen.'

'Top!' Debbie nam een slok van haar milkshake.

'Komende woensdagavond spelen we met het Districtselftal weer een oefenwedstrijd. Dit keer tegen AFC in Amsterdam. Dan heb ik dus mijn eigen shirt.'

'Met je naam erop?'

'Lauriera, Deb. Er staat in grote letters Lauriera op m'n rug!'

'Gaaf!' Debbie dronk van haar milkshake en keek op haar horloge. 'Over tien minuutjes moet ik naar huis. Loop je mee?'

'Tuurlijk!' Isa kauwde langzaam haar broodje weg. Terwijl ze dit deed keek ze naar de toren van de Grote Kerk. Ze zag de Damiaatjes duidelijk hangen, de klokken die elke avond tussen negen en halftien zo mooi klingelden. Haar blik dwaalde af naar de straat diep onder hen. Toen veegde ze haar handen af aan een servetje en keek naar de roltrap. Er kwam een man omhoog. Hij stond doodstil en zijn baard hing als een struikgewas aan zijn gezicht.

Shit! dacht Isa. Wat doet hij nou hier?

Morris liet de leuning los en stapte met onzekere tred van de roltrap. Ineens bereikte een vieze geur Isa's neusgaten. De lucht deed haar denken aan een schildpaddenbak die een tijdje niet is schoongemaakt. Zo'n bak stond vroeger in de klas, in groep zes.

'Getsie!' zei Debbie. 'Ruik jij dat ook?'

Isa zag Morris naar een tafeltje lopen waaraan een ouder echtpaar zat te eten. Debbie zat met haar rug naar de roltrap en de andere tafeltjes. Ze zag Isa's verbaasde blik en wierp een blik over haar schouder. Meteen draaide ze zich weer om. 'Het is vast die zwerver!' fluisterde ze. 'Maar wat zie jij ineens wit! Shit! Is het soms jóúw zwerver... je weet wel... de Boze Wolf die vogeltjes nadoet?'

Isa gaf geen antwoord. Morris bleef vlak bij het tafeltje van het echtpaar staan. De gezichten van de man en vrouw vertrokken zichtbaar. De vrouw kneep zelfs haar neus dicht.

'Wat wilt u?' vroeg de man.

'Twee euro, alstublieft dank u wel,' zei Morris. 'Voor twee euro ga ik weg.'

Isa en Debbie konden alles duidelijk verstaan, want in het

restaurantgedeelte was het na de verschijning van Morris doodstil geworden.

'Alstublieft,' zei de man. 'Hier heeft u uw twee euro.'

'Dank u zeer.' Morris stiefelde naar het volgende tafeltje. Ook daar vroeg hij om twee euro, maar nu liep het anders. De vrouw aan dit tafeltje liep naar de caissière en die belde de beveiliging. Al snel verschenen er twee grote kerels.

'Gaat u alstublieft weg, meneer,' zei de ene. 'U stoort onze gasten.'

Maar Morris verroerde geen vin. Toen de andere beveiliger hem probeerde vast te pakken, nam Morris de vechthouding aan. 'Raak me niet aan,' gromde hij. 'Raak me nie...' Ineens zweeg hij, want zijn blik was op het doodsbleke gezicht van Isa gevallen. Meteen liet Morris zijn vuisten zakken. Hij glimlachte en liep naar het tafeltje van Isa en Debbie met in zijn kielzog de twee mannen.

'Dag Isa,' zei Morris. 'Hoe is het?'

'Goe-goed,' stamelde Isa.

'Is dat je vriendin?'

Debbie knikte. 'Ja, ik ben Debbie.'

'Ik ben Morris. Willen jullie wat van me drinken?' De zwerver gaf een knipoogje. 'Ik heb zojuist weer wat geld verdiend.'

'Eh... nou,' zei Isa, 'we wilden net weggaan.'

'Ik moet naar huis,' vulde Debbie aan.

Debbie en Isa pakten hun schooltassen en stonden op van hun stoelen.

'Jammer,' zei Morris. 'Weet je trouwens, Isa, dat ik vanmorgen bijna op een zanglijstertje trapte. Hij zat half verscholen in het gras.'

'O?'

'Hij was te moe om weg te vliegen en liet zich zo oprapen. Hij zat volkomen stil in mijn hand. Ik voelde z'n hartje kloppen.' Morris keek Debbie aan. 'Zo'n diertje weegt niet meer dan zeven gram! Ik voelde niets anders dan dat als een razende bonkende hartje. Het was... ja, het was een van de mooiste momenten van m'n leven.'

'Ach,' verzuchtte Debbie, 'en... en toen?'

'Nou, na een minuut of vijf begon hij met z'n nageltjes te kriebelen, klom op mijn duim, klemde z'n klauwtjes eromheen en liet z'n keeltje trillen. Hij zong geweldig, met zo'n wonderschoon geturelutuit.'

'Geturelutuit?' herhaalde Debbie vragend.

'Ach, de donkere glans van z'n oogjes, dat bazige snaveltje, de fijne veertjes, die zang...'

Hoeveel bier had Morris gedronken? Veel te veel, dacht Isa, dat was zeker. Tevergeefs probeerde ze los te komen van de vonkende ogen.

'En toen vloog hij plotsklaps weg. Ik had wel met hem mee willen vliegen, maar ja, ik ben te zwaar.' Morris gaf een knipoogje. 'Ik probeerde het nog wel. Ik knoopte m'n jas open, spreidde de panden als vleugels en nam een aanloop.'

Debbie schoot in de lach.

'Maar helaas, ik kwam niet van de grond, ach, misschien stond er ook wel te weinig wind.'

Er viel een stilte.

'O ja,' zei Morris toen, 'dat vergeet ik bijna. Ik voerde het lijstertje wat druppeltjes water op een eikenblaadje en toen heb ik hem gevraagd of hij daarboven, hoog in de hemel, een milde winter voor me kan regelen. Want het wordt koud, hoor!'

'Meneer,' zei een van de beveiligers. 'U stinkt een uur in de wind. Wilt u...'

'Ja, ja, rustig maar, ik ben al weg.' Morris knikte beleefd naar beide meisjes, liep naar de roltrap en was binnen drie seconden verdwenen.

'Gossiemijne,' piepte Debbie. 'Dát is dus jouw Boze Wolf!'

'Eh... ja.'

De beveiligers keken elkaar aan.

'Meisje,' zei de ene toen, 'die man lijkt me geen goed gezelschap voor jou. Ik wil...'

'Dat maak ik zelf wel uit,' zei Isa vinnig. 'Kom je mee, Deb? We gaan.'

Stinken en zuipen

Diezelfde avond hadden de meiden van Gazellen c_1 hun training. Uiteraard werd Isa van alle kanten met vragen bestookt. Of ze voor het Districtselftal had gescoord. Wanneer de volgende wedstrijd was. Of ze op televisie kwam. Isa wilde in één keer van al die vragen af en stak daarom in de kleedkamer een soort persconferentie af. 'Geachte medespeelsters,' zei ze op bekakte toon, 'ik heb goed nieuws: ik heb twee keer gescoord en volgende week woensdag mag ik opnieuw de wei in. Enne... op 28 november speel ik trouwens mijn eerste internationale toernooi...'

Het luide gejoel van de speelsters onderbrak haar.

'... in Brussel!'

Het gejoel werd nog harder.

'Ik...'

'Meiden!' Gabriëlle kwam de kleedkamer binnen. 'Schieten jullie eens op, verdorie! Kom op, omkleden. Over vijf minuten beginnen we!' Ze keek Isa aan. 'Ik kreeg een mooi verslag van Martin van Os. Gefeliciteerd.'

'Dank je.'

'Ben je niet te stijf voor een training zo vlak na een wedstrijd?'

'O nee! Ik ben superfit. Nee hoor!'

'Zo mag ik het horen. Kom op, ook jij omkleden Debbie! Ik wil het getik van noppen horen in plaats van het geklik van hoge hakken!'

'Ja, ja, rustig aan.'

Gabriëlle keek kritisch naar Debbies schoenen. 'Het is een wonder dat je op die hoge dingen overeind blijft. Kijk maar uit voor enkelblessures!' Na deze woorden stormde de trainster de kleedkamer uit.

Na de warming-up splitste Gabriëlle de groep in tweetallen en passten de speelsters de bal over de breedte van het trainingsveld naar elkaar. Dit moest om en om met links en rechts.

'Elke pass op maat, meiden,' riep Gabriëlle. 'Het mag over de grond of door de lucht. Maakt me niet uit, als hij maar op maat is!'

Isa en Debbie vormden een vast tweetal. Ze schoten de bal heen en weer zonder grote fouten te maken. Zeker Debbie hoefde geen stap te verzetten. De ballen kwamen hoog door de lucht aanzeilen en eindigden precies op haar voeten.

'Het is weer millimeterwerk, Ies,' riep Gabriëlle. 'Goed aangenomen, Deb! Prima! Ga nu maar wat dichter bij elkaar staan voor het betere kaatswerk!'

Wat later stonden de vriendinnen op nog geen tien meter van elkaar de bal heen en weer te schieten. Op deze afstand konden ze met elkaar praten.

'Morris is een lieverd, Deb. Ik voel warmte achter die ogen.'

BAF!

'Een lieverd die stinkt, zuipt en bedelt.'

BAF!

'Nou ja, hij was dronken, ik...'

BAF!

'Hij is volgens mij dik in de zestig, Ies. Hij heeft recht op AOW, net als mijn opa. Waarom dan bedelen?'

BAF!

'Volgens mij wil hij die AOW niet.'

BAF!

'Waarom dan niet?'

BAF!

'Vanwege al het gedoe, denk ik. Hij zit het liefst op z'n bankje te niksen. En verder dus niks.'

BAF!

'Misschien heeft hij wel iets op z'n kerfstok, Ies.'

BAF!

'Nee, ik weet zeker van niet.'

BAF!

'Maar hij is wel grappig, met dat willen vliegen en zo.'

BAF!

'Heb je op z'n handen gelet, Deb?'

BAF!

'Ja, al die littekens. Misschien was hij wel mijnwerker.'

BAF!

'Of stratenmaker.'

BAF!

'Bokser?'

BAF!

'Met zo'n lief gezicht? Welnee, misschien…'

BWOEFF!

'Shit! Wacht…'

'Geconcentreerd blijven, Isa!' riep Gabriëlle. 'Niet zo kletsen!'

Na een kwartier riep de trainster alle speelsters bij elkaar en volgde er een wedstrijdje van zeven tegen zeven met kleine doeltjes. Isa kreeg net als haar zes medespeelsters een geel hesje aan en begon het partijtje vol fanatisme. Gabriëlle maakte luidkeels opmerkingen, onder meer over de 'Robben-momenten' van rechtsbuiten Yasmine en het 'duikgedrag' van Debbie. 'Kop die bal nou, Debbie!' gilde ze. 'Of zit je suikerspin soms in de weg?'

Twintig minuten lang speelden ze in hoog tempo. Isa begon haar spieren nu toch wel te voelen en ze was blij toen de trainster het partijtje affloot. Als toetje werd er afgerond op doel. Femke stelde zich op tussen de palen en om de beurt dribbelde een speelster tot een oranje pylon op zo'n zestien meter van de goal. Vanaf dat punt mochten de meiden schieten, weer verplicht met links en rechts. Isa besloot om op de palen te mikken. Het geluid van een bal op de paal vond ze prachtig, maar het mooiste geluid op de wereld was toch wel de klank van een bal die via de paal in de touwen zeilt. De combinatie van deze BOINK en het zachte ruisen van het net was voor Isa de hoogst mogelijke muziek. Nu lukte het haar één keer.

'Lekker, Ies!' galmde Gabriëlle en plagend vervolgde ze: 'Kom op, Femke, je bent toch geen perenplukker!'

'Die was onhoudbaar, Gab,' brieste Femke, 'dat weet jij ook wel. Zelfs Edwin van der Sar was kansloos geweest.' De keepster nam revanche door een zwabberbal van Debbie uit de kruising te ranselen en zeker vijf minuten lang haar doel schoon te houden. Zelfs op de kromste ballen van Isa had ze een antwoord.

'Het is mooi geweest!' riep Gabriëlle na een kwartiertje knallen. 'We kappen ermee.'

Alle ballen gingen netjes in de twee netten en in optocht verlieten de meiden het trainingsveld.

'Ik ben op, Deb,' verzuchtte Isa later in de dampende kleedkamer. 'Maar wat was het weer lekker!'

Debbie knikte, trok haar Barbieroze voetbalschoenen uit en voelde voorzichtig aan haar coup, die nog muurvast op haar hoofd zat. 'Mijn haarspeldtechniek is super,' mompelde ze. 'Echt súper.'

'Zeker,' grinnikte Isa, die op de onderkant van haar voetbalschoen wees. 'En ook ik ben in mijn nopjes, hoor!'

'O, ik heb nog iets geinigs, Ies.' Uit haar sporttas pakte Debbie haar scheenbeschermers en ze hield ze in de lucht.

'Wat is dát nou?' riep Isa uit. 'Cool!'

Op elke spierwitte scheendekker was een vuurspuwende draak getekend. Beide draken keken recht vooruit en hadden vier klauwen, een spitse tong en een lange staart. Hun schubben en vleugels waren van een giftig blauw en het vuur uit hun lelijke bek was vuurrood met een gele kern.

'Ach, ik vond die dingen zo saai,' zei Debbie. 'Daarom zette ik er met watervaste stiften deze beestjes op om mijn tegenstanders bang te maken.'

'Vet zeg,' zei Petra. 'Moet je wel met afgezakte kousen spelen, Deb!'

'Ga ik ook doen. Letten jullie zaterdag maar eens op!'

'Zal Gab leuk vinden,' zei Astrid.

'Kan me niet schelen wat Gab ervan vindt!'

Isa bekeek de draken wat nauwkeuriger. 'Waarom hebben die draken,' vroeg ze, 'in hun linkervoorklauw een vlaggetje?'

Op Debbies gezicht verscheen een glimlach van oor tot oor, maar ze gaf geen antwoord. Ineens fleurde Isa's vermoeide gezicht op. 'Ik weet het al.' Ze keek Debbie en de andere meiden stralend aan. 'Het is die vreselijke grensrechter van SRC!'

Wilma

Die zaterdag speelde Debbie inderdaad met afgezakte kousen en Isa danste weer over het veld alsof de hele wereld van haar was. Niemand wist wat de bijdrage van de vuurspuwende draken precies was, maar in ieder geval wonnen de Gazellen thuis met 4-1 van Ripperda. Isa scoorde twee doelpunten en bereidde de andere twee voor, maar voor haar was het toch een andere wedstrijd dan anders. Ze verlangde naar een spelverdeelster als Cindy, iemand die de bal zo strak inspeelde dat tegenstanders hem nooit konden onderscheppen. Ook miste ze de snelheid van het spel van het Districtselftal, de vliegensvlugge een-tweetjes. Zelfs verlangde ze terug naar de grotere weerstand van de verdedigers van afgelopen woensdag, weerstand waarvan ze kon leren. Gabriëlle had haar ongemak in de gaten. Na de wedstrijd knabbelde Isa in de kantine aan een roze koek, een exemplaar dat haar vader een hartverzakking zou bezorgen, toen de trainster haar even apart nam.

'Je hebt van de top geproefd, Ies. Dat smaakt naar meer. Toch?'

'Zeker weten, het is zoals mijn vader zegt: als je eenmaal een mergpijpje van Laurier hebt geproefd, wil je niet meer anders.'

Gabriëlle glimlachte. 'Maar serieus, dit is dan toch even een ander niveau. Het is weer wennen, denk ik.'

Isa knikte.

'Martin van Os heeft me van de grote plannen met jou verteld en...'

'O shit, je vertelt het toch niet aan de andere meiden?'

'Nee, nee, natuurlijk niet, maar luister, ik heb een voorstel.'

'Oké.'

'Misschien is het beter als je bij de jongens van de C1 gaat meedoen?'

Meteen schudde Isa heftig haar hoofd. 'O nee, ik wil dit seizoen hier blijven. Ik laat jullie niet in de steek!'

Gabriëlle kreeg een peinzende blik in haar ogen. 'De andere meiden van het Districtselftal spelen vast met jongens. Toch?'

Isa knikte.

'Nou, denk er dan toch nog maar eens over na, vedette.'

'Hoeft niet!' barstte Isa los. 'Ik wil graag bij Debbie en jou blijven.'

'O?'

'Zóveel beter zijn de jongens nou ook weer niet.'

Op het gezicht van Gabriëlle verscheen weer een glimlach. 'Ik wil ook graag dat je bij ons blijft, maar voor je ontwikkeling is het beter als je hogerop gaat.'

'Maar ik ga volgend seizoen toch naar ADO.'

'Daarom stel ik dit juist voor. Zo wordt het straks een kleinere stap voor je.'

Maar Isa liet zich niet overtuigen.

'De meisjes A1 kan trouwens ook, Ies.'

Isa verbleekte. 'Ik tussen al die grote grieten? Nee, voor geen goud!'

'Goed meid,' besliste de trainster, 'dan blijf je lekker bij ons.'

De volgende dag maakte Isa weer haar rondje taart, waarbij ze veel aan Morris dacht. Moest ze met hem praten over dat incident bij de V&D? Moest ze hem soms wijzen op het Leger des Heils? Debbie vond van wel. Daar zou hij kunnen douchen en dan was het gebedel ook niet meer nodig, want het Leger des Heils zou dingen voor Morris kunnen regelen. Isa stopte met peinzen toen ze in het park kwam. Daar zat Morris kaarsrecht op z'n bankje, als een vorst op z'n troon. Op zowel z'n linker- als rechterschouder zat een mus.

Wat krijgen we nou? dacht Isa. Ze bleef stokstijf staan.

De ene mus hield z'n kopje schuin omhoog, alsof hij met Morris in gesprek was. De andere pikte naar een kruimeltje in z'n baard. Isa deed voorzichtig twee pasjes naar voren en prompt vlogen beide mussen weg. Nu had ook Morris haar in de gaten. 'Hoi Isa,' zei hij grinnikend. 'Je ziet het: de vogels zijn gevlogen.'

'Ja,' zei Isa, terwijl ze naar het bankje liep, 'die mussen lijken wel tam.'

'Ach welnee, ik zit hier zo stil dat ze denken dat ik een boom ben: een oude eik.'

Isa zette de gebaksdoos op de bank en ging naast Morris zitten. Hij stonk nog erger dan in de V&D. Het ging duidelijk niet goed met hem. Zijn stem klonk ook anders, veel trager, sloom bijna.

'Morris,' begon Isa, 'moet je niet een keer douchen? Bij het Leger...'

Meteen onderbrak hij haar. 'Zeg, hoe is het met de voetbal? Gaat het goed?'

'Jeetje, dat moet ik je allemaal nog vertellen! Het gaat echt fantastisch. Ik zit nu vast in het Districtselftal en de trainer ziet het helemaal zitten! Hij noemt me een dribbelkoningin en een wereldspits en als ik zo doorga, kom ik in Oranje onder 15 en kan ik prof worden bij ADO en later in Japan en ik wil...' Ineens stopte Isa met praten.

'Ja? Wat wil je?'

Isa schudde haar hoofd. 'O, o, wat ben je een slimmerd. Nee, ik wil toch echt...'

'Ach, ach,' onderbrak Morris haar, 'je leek wel een winterkoninkje! Die kunnen ook zo mooi ratelen. Jij ratelt vooral, valt me op, als het over voetballen gaat en ...'

'Morris! Ik wil...'

'... en je lijkt ook wel een beetje op een heftig tikkend wekkertje.' Morris tikte met z'n vingers een snel melodietje op de gebaksdoos. 'Zo praat jij over voetbal. Ik kan wel merken dat je er gek van bent. Zeg, zit er soms een tompouce in? Dat is toch m'n lieveling als het om taartjes gaat.'

Resoluut legde Isa haar hand op het deksel.

'Oei, wat ben je streng!'

'Waarom bedel je?' vroeg Isa. 'Dat is helemaal niet nodig, toch...?'

Er verhardde iets in het gezicht van Morris, maar dat

duurde niet lang. 'Ach, meid,' zei hij toen traag en half grinnikend, 'soms ben ik een beetje ondeugend. Vooral na een lekker biertje.' Het was alsof de woorden van heel diep uit zijn baard kwamen. 'Ben jij nooit ondeugend?'

'Jawel, maar...'

'Goed, genoeg hierover. Wist je dat meesjes haren uit mijn baard gebruiken om hun nestje te maken. Ik ben daar tro... trrr... hrgg, hrrgyyytreeww...'

Isa keek Morris vragend aan. 'Wat is dát nou voor een raar vogeltje? Ik... Jezus! Wat heb je?'

Ineens begon het lijf van Morris te beven. Langzaam, als een boom die wordt omgehakt, viel hij opzij, boven op de gebaksdoos. Morris leunde nog even met zijn elleboog op de bank, maar die knakte. Uit zijn mond klonk een zwak gereutel.

'Morris! Wat is er?' Isa sprong op van het bankje en boog zich over hem heen, maar hij gaf geen teken van leven. Ineens hoorde Isa boven zich luidruchtig gekwetter en geruis. Ze keek omhoog en kreeg de schrik van haar leven: tientallen vogels vlogen klapwiekend recht op het bankje af! Zeker dertig mussen streken op het lichaam van de zwerver neer en zeker veertig andere vogels hipten met tinkelende zang rond Morris.

Isa kon geen woord uitbrengen, maar dacht des te meer. Shit, ze waken echt over hem, dacht ze, ze beschermen hem tegen mij!

Al kwetterend bedekten steeds meer beestjes Morris. Overal zaten ze, tot in z'n baard, haren en jaszakken.

'Laat me er even bij,' vroeg Isa smekend. 'Ik doe hem geen kwaad, echt niet. Laat me even!' En dwars tussen de krioelende lijfjes door stak ze haar hand voor de mond van Morris om z'n adem te voelen. De luchtstroom was zwak. Isa keek om zich heen, maar behalve de zwerm vogels was er niemand. 'Morris!' riep ze luid. 'Toe nou, word wakker!' Geen reactie. Toen pakte Isa haar mobieltje en belde 112. Een kalme vrouwenstem beloofde hulp te sturen naar een bankje in het Haarlemse Kenaupark, recht tegenover de kerk aan de andere kant van de Leidsevaart. Zo beschreef Isa de plek des onheils.

'Wat hoor ik toch voor een gepiep op de achtergrond?' vroeg de telefoniste. 'Sta je in een volière of zo?'

'Zoiets,' antwoordde Isa. 'Zoiets.'

Volgens de vrouw zou zowel de politie als de ambulance komen. Tussen al het vogelrumoer wachtte Isa in spanning af en tijdens dat wachten viel haar blik op de tas van Morris. Misschien, dacht ze, zit er een mobieltje in met een telefoonnummer van familie. Ze pakte de tas van de bank. Hij was behoorlijk zwaar. Ze opende de riempjes en zag in eerste instantie drie blikken bier en een pot pindakaas. Onder de pindakaas en het bier lag een verfrommeld tijdschrift vol ezelsoren. Daar weer onder lag een stukgelezen vogelboek van Koos van Zomeren. Op de kaft was met pen iets onleesbaars geschreven. Isa wurmde het boek half uit de tas en kreeg zicht op een horloge. De wijzers vertoonden roestplekjes en stonden stil, het bandje was tot op de draad versleten. Isa draaide het horloge om. Op de achterkant van de kast stond in krullerige letters een inscriptie: VOOR ALTIJD. WILMA.

71

Shit! Dit voelde slecht. Het leek ook wel of de vogels uit protest nog harder begonnen te tjielpen. Isa keek naar de kluwen piepende mussen, waarvan de meeste hun kopjes droevig tussen de schoudertjes drukten. Snel legde ze het horloge terug. Haar gesnuffel, wist ze, was zoiets als een inbraak. Kon ze niet beter...? Toen zag ze de foto, een verkleurde foto van een jonge vrouw die recht in de lens keek. Isa pakte de foto en draaide hem om in de hoop een naam of adres te zien, maar de achterkant van de foto was leeg. Bijna tegelijk met het omdraaien klonk in de verte een politiesirene, het geluid van een koolmeesje maar dan tienduizend keer versterkt.

Witte kledders

'Gaat het weer een beetje?'

Haar moeder aaide Isa's rug, maar de onrust liet zich niet zomaar wegstrijken.

'Ik schrok me een ongeluk, mam. Ineens viel hij om!' De stem van Isa fladderde als een vogeltje.

'Ja, dat begrijp ik, maar kende je die man soms? Je bent zo van streek. Wie is hij?'

Isa snotterde iets onverstaanbaars.

'Rustig maar, schat, rustig maar!'

Haar moeder omhelsde Isa halverwege de gang. Isa's vader stond bij de kapstok met twee politiemannen. Ondanks Isa's protesten hadden ze haar thuisgebracht. De politieauto stond half op de stoep voor de deur.

'Ken je die man soms?' vroeg haar moeder nogmaals.

Isa's antwoord was een nerveus zwijgen en toen deed een van de agenten z'n mond open. 'Jazeker, mevrouw,' zei hij. 'Uw dochter noemde die dakloze Morris. Ze kent hem dus wel degelijk.'

De agent sprak het woord 'dakloze' uit alsof het om een uiterst gevaarlijke slangensoort ging. 'O?' reageerde Isa's vader. 'Maar wat is er nu precies gebeurd?'

'Hij werd onwel na het drinken van te veel bier, meneer. Uw dochter heeft het alarmnummer gebeld.'

Isa rukte zich los uit de armen van haar moeder en stoof op de agenten af. 'Zo... zo is het niet!' stotterde ze verontwaardigd. 'Hij wás niet dronken! Hij... hij... hij...'

'Stil even, dame!' zei de agent scherp. 'Jonge meiden kunnen zich beter niet in hun eentje in het Kenaupark wagen, ook overdag niet. Daar gebeurt de laatste tijd namelijk nogal wat rottigheid. De kranten staan er bol van.'

'Ja, ja,' stamelde Isa's vader.

'Uw dochter bevond zich bij de drugsbosjes, meneer.'

'Drugsbosjes?'

'Ja, zo noemen we dat. Aan de andere kant van het park zijn de homobosjes, wist u dat niet?'

'Eh nee, maar...'

Rond de lippen van de agent speelde een meewarig lachje. 'Dan weet u het nú. Als ik u was zou ik uw dochter beter in de gaten houden.'

'Ja, ja, dat zullen we doen.'

De agent kreeg een zegevierende blik op z'n gezicht en in Isa welde een golf van woede op. In het park had ze al met de agenten geruzied. De ene had de vogels hardhandig weggejaagd en Morris nog hardhandiger door elkaar gerammeld, terwijl de ander in Morris' oor toeterde: 'Zuiplap, word eens wakker!' Isa was ontploft. Wat voor kerels waren ze? Hadden ze geen hart of zo? Konden ze niet normaal doen? Dit was ook een mens, hoor! De gezichten van de agenten waren onbewogen als steen gebleven. Net als nu.

Isa priemde haar vinger in de lucht. 'Jullie zijn stommelingen met jullie gezeur. Morris is wel honderd keer meer...'

'Ssst, Iesje,' kwam haar moeder ertussen. 'Zo is het wel genoeg.'

'Heren, bedankt,' zei Isa's vader snel. 'Wij stellen het zeer op prijs dat u onze dochter hebt thuisgebracht.'

'Graag gedaan,' zei de ene agent, 'maar kan ik misschien nog even gebruik maken van uw waterkraan?' Hij wees op vier witte kledders op z'n uniformjasje. 'Die rotvogels. Ze...'

'Net goed!' riep Isa nog, terwijl haar moeder haar de gang uit duwde.

Zodra de politiemannen waren vertrokken, was Isa weer kalm. Ze kreeg een kop thee van haar moeder en even later zaten ze aan tafel te praten.

'Dus die zwerver kreeg ook gebak,' zei haar vader op verontruste toon. 'Waarom? Hij is niet echt een vaste klant, Ies, die... eh...'

'Morris heet hij. Hij is heel aardig, hij doet geen vlieg kwaad.'

'O, hoe weet jij dat?'

'Dat voel ik aan alles! Weet je dat de vogeltjes in het park hem beschermen, over hem waken?'

Haar ouders keken elkaar stomverbaasd aan.

'Wat zeg je nou?'

'Echt waar, mam. Ze gingen boven op hem zitten en...'

'Ik wil nú antwoord, Ies,' onderbrak haar vader haar. 'Waarom gebak voor die man?'

'Ook zwervers verdienen gebak van Laurier, pap, niet alleen types als mevrouw Hemelsoet.'

'O, nou, ik...'

'Stil eens, Daan,' zei Isa's moeder. 'Waar is Morris nu?'

'In een ziekenhuis, mam, ik weet niet welk.'

'Maar het was dus een hersenbloeding?'

'Ja, dat zeiden de ambulancebroeders en dat komt heus niet van bier.'

'Maar wie is die kerel precies?' vroeg haar vader.

Isa haalde haar schouders op. 'Dat hoor ik misschien als hij weer beter is.'

'Hoezo?' vroeg haar vader. 'Wat moet je verder met die man? Zo is het wel genoeg geweest, Ies. Ik...'

'Niets wil ik van hem!' riep Isa spinnijdig. 'He-le-maal niets, maar ik mag toch wel weten hoe het met hem gaat!'

'Vind ik ook,' zei Isa's moeder snel. 'In ieder geval is hij in het ziekenhuis beter af dan in het park. Het is daar inderdaad gevaarlijk. Als ik denk aan de types die een tijdje terug die vrouw in brand hebben gestoken...'

'Tuig!' mompelde Daan Laurier. 'Goor tuig.'

'...alleen omdat ze een zwerfster is. Walgelijk!' Ze keek haar dochter ernstig aan. 'Jij kunt beter niet alleen in het park komen, Ies. Eerst moeten die misdadigers gepakt worden, maar we zijn trots op je, dat je zo daadkrachtig was.'

Daan Laurier knikte. 'Ja, je hebt het juiste voor... eh... Morris gedaan.'

Klavertje vier

Meteen na het gesprek met haar ouders trok Isa zich terug op haar kamer om met Debbie te bellen.

'De vrouw op die foto,' zei Debbie, 'is vast de Wilma van het horloge.'

'Ik weet het niet,' verzuchtte Isa, 'misschien wel.'

'Is ze knap?'

'Best wel.'

'Heeft ze soms ook van die husky-ogen?'

'Nee, bruine.'

'En je hebt de foto teruggelegd?'

'Natuurlijk! Wat dacht jij dan?'

'Jammer, maar er zat dus ook een pot pindakaas in die tas?'

'Ja.'

Heel even was Debbie stil. 'Mmh, vogels zijn gek op pindakaas. Mijn moeder hangt wel eens dennenappels met pindakaas in de tuin.'

'O?'

'Daar hangen ze dan met z'n allen aan.'

'Aha.'

'Dat doet me denken aan wat jij vertelde over...'

'Schei toch uit!' onderbrak Isa haar bozig. 'Morris zat heus niet onder de pindakaas of zo. Al die vogels kwamen… eh… spontaan op hem af.'

'Ja, ja, ik geloof je wel. Zulke dingen gebeuren.'

'Zeker weten! Ik heb het zelf gezien.'

'Net als in die enge film waarin vogels mensen aanvallen. Was je niet bang?'

'Eerst wel, maar later niet meer.'

Aan de andere kant van de lijn bleef het even stil.

'Gossiemijne!' verzuchtte Debbie toen. 'Spannend allemaal, maar je Boze Wolf is nu in goede handen, Ies. In het ziekenhuis wordt goed voor hem gezorgd en kan hij eindelijk eens onder de douche.'

'Ja, dat is waar.'

'Weet je trouwens al wat Ajax heeft gedaan? Ik wel!'

'Hou je mond, hoor! Ik wil het straks zelf zien.'

Debbie lachte. 'Ja, ja, ik plaag je maar. Ik zie je morgen!'

Zuchtend begon Isa aan haar huiswerk, maar al snel kreeg ze vrolijker gedachten. Ze had veel zin in de komende wedstrijd met het Districtselftal en straks was er Studio Sport, haar favoriete tv-programma. Om klokslag zeven uur zat Isa met haar vader op de bank voor de televisie. Zoiets was in geen jaren gebeurd.

'Nu jij bent gescout,' zei hij, 'wil ik wel eens een keertje met jou naar dat voetbal kijken. De bonbons kunnen wel even wachten.'

'O? Heb je dat zelf bedacht?'

'Eh… tip van mama.'

'Dacht ik al. Maakt niet uit, pap. Let goed op.'

Tom Egbers kondigde de samenvattingen van de wedstrijden aan en even later rolde de bal over het scherm.

'Wat dragen die kerels een rare broeken, Ies. Zo lang! Speel jij ook in zo'n broek?'

'Nee, in een rokje, nou goed.'

'Ah, een rokje. Keurig!'

Moedeloos schudde Isa het hoofd.

'Geintje, Ies. Ik weet dat meiden in korte broeken spelen.'

'Ja, ja, dat zal wel.'

'Goh, wat heeft die ene een o-benen zeg, daar kan zo een gemberbol doorheen.'

'Dat is Luis Suarez, pap, een wereldspits.'

'Ach, moet je die eens zien rennen. Wat een uitslover, die krijgt straks een suikerklontje van de baas.'

'Pap, hou je mond, zo kan ik het niet volgen!'

Isa leefde sterk mee met de gebeurtenissen op het veld. Ze had de neiging mee te bewegen, ze was zelf daar, op het veld, terwijl ze thuis op de bank zat. Isa's benen deden mee met de schoten op doel en als de bal hoog voor de goal kwam, rekte ze zelfs haar hals om te koppen. Isa was geen fan van een club, maar wel van spelers als Suarez. Al zijn bewegingen nam ze in zich op en ze ergerde zich aan slechte passes op de Ajax-spits. 'Shit!' riep ze uit. 'Wat een zaadbal van die Urby Emanuelson!'

'Zaadbal?' mompelde haar vader. 'Wat…'

'Stil, pap! O, kijk nou eens, ja, nee, ja, o, shit, wat een megakans!'

Na de eerste wedstrijdsamenvatting zei haar vader: 'Die commentator had het over een dot van een kans. Ik denk al een tijdje na over een naam voor een nieuwe bonbon, eentje met een heel bijzondere vulling. Dat is echt ongelofelijk.'

Isa keek hem verbaasd aan. 'En je Laurierkugel dan?'

'Tja, dat is niks geworden. Hij was weliswaar schitterend om te zien, maar deze bonbon is...'

'Ho, ho!' Isa prikte haar vader in z'n buik. 'Nu niet, papa!'

'Wat?'

'Niet dat hele verhaal over je bonbon. Dit is voetbal. Jij wilde naar mijn voetbal kijken.'

'Oké, je hebt gelijk. Sorry.'

Isa's vader legde z'n handen op z'n buik en zweeg. In de volgende samenvatting had Isa veel commentaar op de commentator. 'Hoezo verkeerd been?' riep ze verontwaardigd uit. 'Hoe kun je verdorie als prof nu een verkeerd been hebben? Dat kan niet! Dat mag niet!' Wat later schreeuwde ze naar het beeldscherm: 'Nee, dat is geen buitenspel, Frank Snoeks, dat ziet een blinde!'

Haar vader had z'n ogen gesloten en mompelde zachtjes in zichzelf. 'Een dot, een dotje, maar wat voor een dotje?' Net tijdens een belangrijk voetbalmoment veerde hij op van de bank en riep: 'Een Isadotje! Dat is het! Naar jou genoe...'

Het kwade gezicht van Isa deed hem weer op de bank ploffen. 'Sorry, het is sterker dan mezelf. Ik ben er zo vol van.'

'Het is al goed, pap,' zei Isa mild, 'je bent vergeven.'

Na Studio Sport liep Isa meteen de tuin in om nog een potje op doel te knallen. Ook hield ze de bal hoog met haar voeten, dijen, schouders en hoofd. Ze klemde de bal zo uit de lucht tussen haar kuit en de achterkant van haar dijbeen, liet de bal uit haar nek over haar schouder rollen en ving hem weer op met haar rechtervoet, precies zoals het meisje deed in het YouTube-filmpje *Soccer Freestyle Lessons From A Chick*. Ten slotte verloor Isa de controle. Met een uiterste krachtsinspanning probeerde ze de bal in de lucht te houden, maar dat mislukte. Ze viel languit in het gras en bleef met gesloten ogen liggen. Toen rolde ze zich op haar buik en opende haar ogen. Vlak voor haar neus stond hij, op een fier steeltje: een klavertje vier.

'Wat een geluk,' fluisterde Isa tegen het klavertje.

Superkwal

Het was alsof er schrikdraad om Isa heen stond. Geen van de verdedigers durfde haar aan te vallen, geen van hen wilde 'happen'. Ze droeg voor het eerst haar Braziliaanse achternaam op haar shirt, in witte blokletters boven het nummer 10. De tegenstanders waren dit keer de jongens van AFC C1. De wedstrijd was nog geen vijf minuten oud toen hun coach al riep, dat ze bij nummer 10 vooral niet moesten reageren op haar schijnbewegingen. 'Blijf naar de bal kijken!' brulde hij. 'Niet happen, anders ga je de boot in!'

Al in de vierde minuut had Isa na een mooie actie de assist voor de 1-0 gegeven. Ze had deze actie, de akka, voor het eerst gezien bij Ronaldhino en hem eindeloos geoefend in de tuin. Dit is het moment, dacht ze, nú moet-ie lukken! En met één schokkerige beweging van haar rechtervoet dirigeerde ze de bal een stukje naar links opzij en direct weer naar voren, zodat haar tegenstander duizelig achterbleef. Vervolgens passte ze naar Cindy die vernietigend had uitgehaald voor de 1-0.

Nu werd er dus officieel niet meer gehapt, maar toch ging het weer mis met de jongens. In de tiende minuut ontsnapte linksbuiten Fatima aan haar bewaker. Ze legde de bal vanaf de achterlijn terug op de penaltystip en daar was Isa net iets eerder dan haar directe tegenstander, de voorstopper, die eerder al slachtoffer was van haar akka. Zonder aarzeling nam Isa de bal op de slof. De sliding-tackle van de voorstopper was te laat en de bal vloog zoevend in de touwen: 2-0! Martin sprong van de bank overeind. 'Wereldgoal, Isa Lauriera!' brulde hij. 'Klasse!'

Isa had een vrije rol en ze vond steeds ruimte om de bal aangespeeld te krijgen, hoezeer de voorstopper haar ook op de huid zat. Sierlijk zwenkte ze rond de zestien, genietend, boordevol energie, ballen terugkaatsend en vaak ook succesvol pingelend.

'Trut!'

Hoorde ze dat nou goed?

'Bitch!'

Ja, Isa hoorde het goed. Terwijl de bal aan de andere kant van het veld was, begon de voorstopper haar uit te schelden, zachtjes en sissend als een slang, zodat alleen Isa het kon horen. Eerder had Isa niet zo op hem gelet. Voor haar was hij eenvoudigweg de zoveelste knul die gepasseerd moest worden. Nu keek ze hem voor het eerst aan. De jongen had stroblonde krulletjes en een engelachtig gezicht.

'Doe normaal, joh,' zei ze op laconieke toon. Meer niet. Ze bleef uiterlijk rustig, maar onderhuids werkten de scheldwoorden als doping op Isa. Ze kreeg veel zin om deze kwal een lesje te leren, om hem te dollen. Daar kwam Cindy in balbezit.

'Cindy!' riep Isa meteen. 'Cin!'

Ze spurtte van haar mandekker weg en kreeg de bal meteen aangespeeld. Ze nam hem aan onder haar rechtervoet, spreidde tegelijk haar armen uit en duwde haar billen naar achteren om de bal te beschermen tegen de opdringerige noppen van de voorstopper. Hij botste hard tegen haar aan, maar Isa bleef overeind, draaide zich om en kwam toen met de bal aan haar voet recht op hem af. De voorstopper, bang om te happen, week terug, maar Isa bleef naderen en stapte ineens met haar rechtervoet over de bal heen, dreigend naar rechts. Op dat moment gebeurde wat ze wist dat er zou gaan gebeuren. Heel even ontstond er een grotere opening tussen zijn benen en meteen mikte ze de bal door dat gat. 'Hé, wat gebeurt daar nou, joh?!' riep ze spottend en ze sprintte langs de voorstopper. Vijf meter verder pikte ze de bal weer op.

'Verdorie, Mike!' klonk er van de kant. 'Hap nou niet!'

Isa plaatste de bal snel op de rechtsbuiten, kreeg hem weer terug en pas op het randje van de zestien haalde de voorstopper haar in. Nu deed Isa alsof ze de bal achterwaarts wilde passen met een hakje, maar in plaats daarvan nam ze hem met dezelfde voet weer mee. Haar voet ging bij dit trucje razendsnel over de bal heen en weer en terwijl haar tegenstander afremde, rende ze in volle vaart door en schoot de 3-0 binnen. Terwijl de keeper met gebogen rug de bal uit het net haalde, keek Isa haar tegenstander aan en zei: 'Schijnhakje van een trut. Leuk hè?'

Nu is het wel uit met dat schelden, dacht Isa. Na haar laatste doelpunt waren er alweer tien minuten verstreken en de voorstopper hield inderdaad z'n lippen stijf op elkaar, tot de 38ste minuut aanbrak. Het spel lag stil, want op de helft van de meiden was een blessurebehandeling aan de gang. Isa liep met haar gezicht naar het vijandelijk doel, toen de voorstopper een schrapend keelgeluid maakte en zijn neus ophaalde. Vrijwel direct kletste er een fluim boven op haar rechterschoen.

'Getver, smeerlap!' Isa rende op de voorstopper af en wilde hem een klap in zijn gezicht geven, maar op het laatste moment kwam ze tot bezinning. Ze greep de jongen bij z'n shirt en veegde haar besmeurde schoen schoon aan z'n voetbalkous. Meteen liet hij zich in het gras vallen.

'Au!' riep hij uit. 'Scheids! Scheids!'

'Stel je niet aan, man. Ik heb je nauwelijks geraakt!'

Maar daar dacht de grensrechter anders over. Natuurlijk kwam al snel de scheidsrechter bij dit opstootje en die hoorde van de vlaggenist dat Isa 'een schoppende beweging' had gemaakt, terwijl de bal niet eens in de buurt was.

'Je hebt geluk dat dit vriendschappelijk is,' zei de arbiter, 'ander had je rood gekregen. Nu volsta ik met geel.'

Voor het eerst van haar leven kreeg Isa een gele kaart.

'Maar…' begon ze.

'Mondje dicht!' zei de man in het zwart. 'Je komt er genadig van af!'

'Hij spuugde naar me!'

'O ja, waar heeft hij je dan gespuugd?'

'Op m'n schoen.'

'Ik zie niets.'

'Nee, omdat ik…'

'Ze spuugde juist naar mij, meneer,' kwam de voorstopper ertussen. 'Kijkt u eens, ze rochelde zo op mijn kous!'

'Aha.'

'Dat is z'n eigen spuug!' gilde Isa bijna. 'Ik...'

'Zo is het welletjes,' besliste de scheidsrechter. 'Allebei wegwezen!'

De voorstopper kreeg een vrije trap.

'Blijf rustig, Isa Lauriera,' riep Martin vanaf de kant. Naast hem maakte Laura sussende gebaren.

'Zagen jullie hem dan niet spugen?' vroeg Isa bijna smekend.

Martin en Laura schudden gelijktijdig hun hoofd. 'Maar we geloven je, hoor!' riep Martin. 'Blijf rustig!'

Isa sloot even haar ogen. In een heerlijk visioen zag ze zichzelf de bal knoerthard in het kruis van de voorstopper schieten. Ze zag zichzelf een houten cornervlag op zijn rug aan stukken slaan. Ze...

'Opschieten met die vrije trap, Mike!' riep de coach van de jongens. 'Kom op, het kan nog makkelijk.'

Maar het ging helemaal niet makkelijk. De meiden sloegen de aanval af en Isa dribbelde er met de bal vandoor, terwijl de voorstopper haar volgde als een schaduw.

'Trut!' siste hij. 'Bitch!'

Isa voelde zichzelf van top tot teen volstromen met wraakgevoelens, en dat was nieuw voor haar. Niet eerder had ze aan iemand zo'n hekel. Ze draaide haar noppen vast in het gras en lanceerde zich met enorme snelheid langs haar vijand. Isa was al zeker anderhalve meter langs de jongen met het engelengezicht, toen hij alsnog een vliegende tackle inzette. De noppen van zijn rechtervoet schampten de bal lichtjes, maar zijn linkervoet knalde vol in de knieholte van Isa's linkerbeen. Zonder ook maar een kreetje te slaken ging Isa onderuit. In haar knie voelde ze iets scheuren.

'Jezus!' riep Martin geschrokken. 'Scheids!'

Ook de voorstopper lag op de grond. 'Zo, trut,' fluisterde hij. 'Ga maar gras eten!' Toen stond hij op en zei luid, zodat iedereen het kon horen: 'Sorry nummer tien, maar je bent ook zo snel.'

'Je deed het expres, zak!' reageerde Isa woedend. Moeizaam stond ze op.

'Nee hoor, echt niet!'

'Wel, superkwal!'

De scheidsrechter kwam aangehobbeld. 'Zijn jullie nu weer bezig! Incasseren hoort ook bij sport, jongedame, en jij, jongeman, moet niet zo onbesuisd doen. Je speelt wel tegen meisjes, ja!' De scheids gaf de voorstopper een gele kaart en daarmee was voor hem de kous af. Hij floot meteen voor rust en Isa hinkepinkte naar de kleedkamer.

'Kun je nog?' vroeg Martin bezorgd.

'Nee,' zei Isa. 'Er is iets kapot in mijn knie.'

Meniscus

Vanuit de dug-out, met een ijszak tegen haar pijnlijke knie gedrukt, zag Isa de tweede helft van de wedstrijd, waarin nota bene de voorstopper twee keer uit een corner scoorde, eerst met het hoofd en toen met zijn rechtervoet.

'Mike the Strike is back!' riep de laatste man van de jongens, in triomf zijn vuisten tegen die van de voorstopper stompend.

Bij elke goal wilde Isa het wel uitschreeuwen van frustratie, vooral omdat haar kwelgeest na zijn successen een hatelijke blik in haar richting wierp. De einduitslag was 3-3, maar dat boeide Isa niet. Haar opvolger in de spits bakte er weinig van, maar ook dat vond ze niet interessant. Het ging nu om haar blessure. Wat was er met haar knie aan de hand? Waarom deed het zo'n pijn? Volgens de verzorger was het niet al te ernstig. 'Goed rust houden en veel ijs erop,' zei hij, 'dan komt alles goed.'

Na de wedstrijd ging Isa met haar moeder meteen naar huis, want ondanks het ijs bleef ze felle steken in haar knie voelen.

'Het is alsof iemand er met een mes in steekt, mam,' zei ze in de auto.

'Ja, heel vervelend allemaal, maar waarom moest je die knul ook zo uitdagen?'

'Eh...'

'Ik zag het wel, hoor! Je speelde hem de bal tussen z'n benen door en toen...'

'Maar dat... dat is toch geen reden voor zo'n rotschop!' riep Isa half stotterend van woede.

'Nee, nee, daar heb je gelijk in.'

'En hij spuugde naar me!'

'Ja, ja.'

Van de eeuwige glimlach op het gezicht van Isa's moeder was niets meer te zien. Later op de avond was haar vader boos en verontwaardigd toen hij van het voorval hoorde. 'Wát een misselijke ventje,' gromde hij, 'wat een etterbak! Hoe heet hij? Waar woont dat spugende en schoppende mormel? Dat zal ik hem een deegrol in zijn nek planten!' Daarna verzuchtte hij: 'Wát een sport!'

'Eh... het hoort er nu eenmaal bij, pap,' reageerde Isa kleintjes.

'Wat? Ben je gek geworden?'

Nee, Isa was niet gek. Ze herhaalde gewoon de woorden die Laura in de kleedkamer had gezegd. Ze hoorde het haar nog zeggen: 'Zoiets kan altijd gebeuren op een voetbalveld, Isa. Dat hoort er gewoon bij.'

Die nacht kon Isa nauwelijks slapen van de pijn en de volgende ochtend ging ze met haar moeder naar huisarts Gerben Weber, een voormalig sportarts. Hij bevoelde Isa's knie aan alle kanten en liet haar draaiende bewegingen met haar been maken: naar links, naar rechts, omhoog en omlaag. Bij een paar bewegingen kreunde Isa van pijn.

'Slecht nieuws,' zei Gerben na z'n onderzoek. 'Je hebt een kapotte meniscus.'

'O, maar de verzorger zei gister dat het niet ernstig was en hij is nota bene fysiotherapeut bij de KNVB.'

'Je hebt slechte en goede fysiotherapeuten,' zei Gerben. 'Maar goed, pas na de MRI-scan kunnen we zien wie er gelijk heeft. Bij zo'n scan worden er opnamen van de binnenkant van je knie gemaakt.'

'Is dat in zo'n tunnel?' vroeg Isa's moeder.

Gerben knikte. 'Het is zo gebeurd en dan kun je precies zien wat er aan de hand is, maar ik weet bijna zeker dat Isa geopereerd moet worden.'

'Geopereerd?' vroeg Isa's moeder geschrokken. 'Is dat nodig?'

'Absoluut, maar daar hoeven jullie niet van te schrikken. Het zal een kijkoperatie worden. Dat is zo gepiept.'

'Eh... is dat alleen kijken?'

Gerben lachte. 'Nee, nee, dat misverstand kom ik wel vaker tegen.'

'Hoe gaat het dan?' vroeg Isa.

'Ze maken drie kleine sneetjes in je knie en door een van die gaatjes duwen ze een heel dun buisje met een lichtje aan het uiteinde. Op dat kijkbuisje is een camera aangesloten die de beelden uit je knie doorstuurt naar een tv-scherm bij de operatietafel.'

'Shit hé,' verzuchtte Isa.

'Dankzij die filmbeelden kan de chirurg z'n werk doen.

Via de andere sneetjes brengt hij z'n instrumenten in je knie, kleine schaartjes of mesjes, waarmee hij kan knippen en snijden.'

'Kan ik meekijken op dat tv-scherm?' vroeg Isa.

'Als je voor een ruggenprik kiest wel. Dan krijg je een prikje in de onderkant van je rug en raakt alleen je onderlijf verdoofd, van je navel tot je tenen. Je kunt ook voor volledige narcose kiezen en dan zie je natuurlijk niks, althans, misschien zie je wel van alles, maar je ziet niet wat er in je knie gebeurt.'

'O, dan wil ik een ruggenprik!' riep Isa bijna enthousiast.

'Hoe lang duurt zo'n kijkoperatie?' vroeg haar moeder.

'Een dik kwartier. Nog dezelfde dag mag ze naar huis.'

'Wanneer kan ik dan weer voetballen?'

'Nou, meestal kun je een dag na de ingreep al aan de slag met de fysiotherapeut. Ik...'

'Zou ik 28 november halen?' onderbrak Isa hem. 'Ik bedoel: kan ik dan topfit zijn?'

'Tja, ik weet het niet.'

Isa sprong bijna van de behandeltafel af. 'Ik moet fit zijn, Gerben. Dan speel ik namelijk met het Districtselftal een internationaal toernooi in Brussel! Daar moet ik bij zijn!'

'Ah, goed dat je het zegt. Bij het Kennemer Gasthuis hebben ze een topsportbeleid en kom je als speler van een selectieteam eerder aan de beurt. Misschien haal je eind november dan wel. Ik zal je naar het Kennemer sturen en de orthopeden daar melden dat je een aanstormend toptalent bent.'

'Orthopeden?'

'Ja, zo noemen ze dokters die knieën opereren. Hij of zij

zal je alles over de operatie vertellen. Kleed je nu maar weer aan.'

Gerben ging achter zijn computer zitten en Isa's moeder gaf Isa haar trainingsbroek aan. Toen Isa de veters van haar gympen strikte, vroeg ze: 'Wat is een meniscus eigenlijk precies? Ik heb er natuurlijk over gehoord, maar ik weet niet zo goed wat het is.'

Gerben keek op van zijn beeldscherm. 'Het is een schijfje kraakbeen tussen de botten van je knie. Kraakbeen is elastisch spul, een soort smeerolie, dat voor een soepele kniebeweging zorgt.'

Isa werd bleek. 'Dat is bij mij kapot?'

'Een stúkje ervan is kapot.'

'O, maar het wordt dus niet vanzelf beter?'

'Nee, kraakbeen herstelt zichzelf helaas niet. De chirurg zal zoveel mogelijk van de meniscus sparen en alleen het kapotte deeltje weghalen. Door dat kapotte deeltje kun je niet goed bewegen en heb je pijn. Dat moet ophouden.'

'Ja,' beaamde Isa. 'Dat moet zeker ophouden.'

De dag na het bezoek aan Gerben ging Isa met haar moeder naar het ziekenhuis. Daar werd ze onderzocht door orthopeed Erik Petersen, een jonge man met prachtig rood haar. Isa moest weer op de onderzoeksbank liggen en Petersen trok haar linkerbeen alle kanten op en bespeelde de knie met z'n vingertoppen alsof het een piano was. 'Juist,' zei hij toen, 'dat heeft jouw huisarts goed gevoeld. De meniscus is kapot, dat is voor negenennegentig procent zeker.' De arts keek haar aan. 'Het wordt vast een kijkoperatie, maar toch laat ik eerst een MRI-scan van je knie maken, dan weten we het honderd procent zeker.'

Isa knikte. 'Dat voorspelde Gerben al.'

Dokter Petersen liep weg van de behandeltafel en tikte iets in op de computer. 'Jij voetbalt in het Districtselftal, toch?'

Isa knikte.

'Ik ben een voetbalgek,' zei Petersen. 'Jammer dat er zo veel slecht voetbal op de televisie is. Ik heb al een paar keer een ernstige voetbalvergiftiging opgelopen.'

'O?'

'Te veel tikjes breed, Isa. Te weinig gepingel. Steeds maar weer op de keeper terug. Ziek word je ervan!'

'Ik ben een pingelaar.'

'Nou, dan zal ik extra mijn best doen,' zei Petersen met een knipoog.

'Ga jij me dan opereren?'

'Ja, ik ga het doen.'

'Ik wil graag meekijken.'

'Prima, je krijgt straks formulieren waarop je alles kunt invullen.'

Even viel er een stilte.

'Kleed je maar weer aan, Ies,' zei haar moeder, 'de dokter heeft nog meer te doen.'

Maar Isa was nog niet klaar met deze dokter.

'Wie is je favoriete voetballer?' vroeg ze.

'Marco van Basten.'

'Waarom?'

'Ik was erbij, die 25ste juni in 1988, in het Olympia stadion in München. Ik was een van de 72.000 toeschouwers, maar ik was wel een toeschouwer die precies achter het Russische doel zat waar Van Basten zijn wondergoal maakte. Ken je die goal?'

'Natuurlijk! Heb ik op YouTube zeker twintig keer gezien.'

'Moet je nog eens goed kijken. Als Van Basten juichend naar het publiek loopt zie je vooraan een jongen met vuurrood haar. Dat ben ik!'

'Ik ga kijken!'

'Goed zo, trek nu je broek maar weer aan.' De arts wendde zich tot Isa's moeder. 'Bij de balie kunnen jullie een afspraak voor de mri-scan maken. Daar krijgen jullie ook een brochure met alle informatie over kijkoperaties van knieën. Je...'

'O ja,' kwam Isa er ineens tussendoor, 'er is nog iets belangrijks. Ligt er misschien een zekere Morris bij jullie in het ziekenhuis?'

'Isa!' reageerde haar moeder scherp.

'Morris? Is dat zijn achternaam?'

'Nee, z'n voornaam.'

'En zijn achternaam is...'

'Eh... die weet ik niet.'

'Hou oud is hij?'

'Nou... tussen de zestig en de zeventig, denk ik. Hij had een hersenbloeding.'

Petersen maakte met zijn handen een hulpeloos gebaar. 'Misschien kunnen ze je bij de receptie helpen, maar ik denk het eerlijk gezegd niet. Je moet een achternaam hebben.'

Dokter Holtkamp

De voetballoze dagen waren voor Isa een verschrikking. Ze hunkerde naar de bal, maar ze moest op de bank liggen met haar linkerbeen op een kussen. Zo zou de zwelling in haar knie snel minder worden. De MRI-scan was al achter de rug en bevestigde wat Gerben en Petersen hadden voorspeld: een kapotte meniscus. Over drie dagen, op tien oktober, zou Isa om acht uur 's ochtends worden geopereerd. Op de bank doodde ze de tijd met filmpjes kijken op haar laptop en sms'en met Debbie over haar knie en over Morris, want ze kon haar gedachten maar niet van hem losmaken.

'Hoi Roodkapje,' typte Debbie op een middag, 'al iets van zieke wolf gehoord?'

'Nee, ga via politie proberen. Je weet wel, je beste vriend.'

'Misschien is hij met lijster meegevlogen?'

'Vreemde vogels kúnnen vliegen,' typte Isa terug.

'Klopt, jij zweefde ook bijna weg van geluk na die supergoal.'

'Hou me vast!'

'Doe ik. Sterkte met je pootje!'

Na zeker vijftien telefoontjes met de politie wist Isa inderdaad het ziekenhuis te achterhalen waar Morris was opgenomen en geopereerd. Hij lag in een ziekenhuisbed in Hoofddorp, kon nog niet praten, maar Isa kon hem nu wel een ansichtkaart sturen, eentje met een winterkoninkje erop. Achter op de kaart schreef ze: 'Straks leer ik jou netjes een tompouce eten, veel beterschap van Isa.' De achternaam van Morris was nog steeds niet bekend. Ook had hij in het ziekenhuis geen bezoek gehad.

Isa kreeg opbeurende telefoontjes van Martin, Gabriëlle en Cindy. De wondergoal van Marco van Basten had ze al minstens vijf keer opnieuw bekeken en ze had alle keren moeten lachen om de supporter die helemaal uit z'n bol ging. Dat was nota bene haar orthopeed, haar chirurg! Isa's vader bracht haar af en toe een schaal met appels om te schillen of een doos met kersen om te ontpitten. Steevast begon hij dan over het Isadotje.

'Ik maak vooruitgang,' had hij gezegd. 'Ik gebruik knettergekke ingrediënten. Nog nooit zijn ze met chocola gecombineerd! Het wordt uniek!'

'Klinkt spannend, pap. Is het chocola met spinazie of zo?'

'Zoiets!' juichte haar vader. 'Met zoiets geks kun je het vergelijken.'

'Wát! En zoiets smerigs wordt naar mij vernoemd?'

'Je zult haar heerlijk vinden, absoluut heerlijk!'

'Háár?'

'Ja, háár! Ze is toch naar jou genoemd.'

'En de presentatie wordt een hele happening?'

'Absoluut! Wacht maar af tot je het eerste exemplaar op een kussentje ziet liggen, een fluwelen kussentje. De burgemeester zal de eerste mogen proeven, jawel!' Natuurlijk was haar vader ook bezorgd. 'Zul je straks in het ziekenhuis goed luisteren naar de dokters en verpleegkundigen?'

'Ja, pap.'

'Niet brutaal zijn.'

'Nee, pap.'

'Heb je pijn?'

'Nee pap, ik slik vier paracetamolletjes per dag.'

'O, nou, ik ga weer aan het werk of wil je eerst nog een geneeskrachtig kusje op je knie?'

'Ik ben dertien, pap, geen acht!'

'Oké, oké. Ik ga al.'

Op de ochtend van de operatie was Isa om vijf uur al klaarwakker. Met haar moeder reed ze rond zeven uur naar het ziekenhuis. Daar moesten ze naar een zaal waar zes bedden op wieltjes stonden, een verpleegafdeling.

'Welkom!' zei een vrouwelijke verpleegkundige. 'Jij moet Isa Laurier zijn.'

'Ja,' zei Isa. 'En dit is mijn moeder.'

Nadat ze elkaar de hand hadden geschud zei de verpleegkundige: 'Je bent als eerste aan de beurt, Isa. Vanochtend krijgen nog vijf andere mensen een knieoperatie. Wil je een bed bij het raam?'

'Dat is goed.'

'Ik zie dat je geen make-up of nagellak op hebt.'

Isa knikte.

'Goed zo, ook geen sieraden? Geen piercing in je navel of zo.'

'Nee, niks.'

Toen moest Isa haar kleren opbergen in de kast naast het bed. Ze mocht alleen haar onderbroek aanhouden. De verpleegkundige gaf haar een blauw operatiehemd.

'Wat een gek hemd,' zei Isa. 'Wat wijd!'

Isa's moeder zei niets. Ze probeerde onbezorgd te kijken en glimlachte met een enthousiasme alsof de verpleegafdeling vol klanten stond.

'Zo,' zei de verpleegkundige, 'kom eens hier.' Isa kreeg een polsbandje met haar naam en geboortedatum en op haar borst werden een soort zuignapjes geplaatst.

'Waarom is dat?' vroeg Isa.

'Via deze plakkers kan de dokter straks tijdens de operatie je hartritme volgen.'

Ook gaf de verpleegkundige Isa een injectie in haar arm om het zeer kleine risico van bloedstolling nog kleiner te maken.

'Gaat het, Ies?' vroeg haar moeder.

'Prikje van niks, mam,' zei Isa stoer.

Daarna moest ze een formulier invullen. Het ging om leeftijd, lengte en gewicht en eventuele bijzonderheden. Zulke bijzonderheden waren er niet.

'Je bent nuchter?' vroeg de verpleegkundige.

'Absoluut, ik heb niks gegeten of gedronken.'

'Als je nog naar het toilet wil, moet je dat nú doen.'

Op de afdeling was een wc, maar Isa hoefde niet. Toen ging de verpleegkundige bellen met de 'inleidingskamer' om te vragen of ze er klaar voor waren. Ze waren er klaar voor.

'Shit, ik vind het toch wel spannend, mam.'

'Ik ook, schat. Ik ook.'

'U ziet uw dochter straks weer op de recovery, mevrouw Laurier,' zei de verpleegkundige. 'Daar komen patiënten vlak na de operatie terecht en houden we ze nog een tijdje in de gaten.' Ze keek Isa aan. 'Uiteindelijk kom je hier weer terug, op de verpleegafdeling. Kun je wat lezen en een boterham eten.'

Even later werd Isa op het bed door de gangen van het ziekenhuis gereden. Een verpleegkundige parkeerde haar in de inleidingskamer en daar begon een operatiekamerassistente haar linkerknie te reinigen met een doekje dat naar wasmiddel rook. Het scheermesje bleef onaangeroerd, want op Isa's knie was geen haartje te bekennen.

'Het is toch wel je linker?' vroeg de assistente met een glimlach.

'Zeker weten!' antwoordde Isa.

'Straks komt de dokter even met je praten en dan zet hij met stift een kruisje op je linkerknie, zodat er geen vergissingen mogelijk zijn.'

'O?'

'Dat is tegenwoordig in dit ziekenhuis verplicht.'

'Ging het wel eens mis dan?'

'Het blijft mensenwerk, maar maak je geen zorgen: alles komt goed.'

'Oké,' piepte Isa.

Wat later zag ze een kleine man in groene operatiekleding op zich afkomen. De man had een zware bril op en keek chagrijnig. Hij deed Isa aan een boze kabouter denken. De kabouter had opmerkelijk lange, sierlijke handen.

'Goedemorgen, mevrouw Laurier,' zei hij.

Isa kreeg een hand die aanvoelde als een dode vis.

'Mijn naam is dokter Holtkamp. Ik ga u straks opereren.'

'Wat!' riep Isa uit. 'Waar is Erik?'

'U bedoelt collega Petersen? Die is verhinderd vanwege een spoedoperatie. U zult het met mij moeten doen.'

Isa kon geen woord uitbrengen.

'Het betreft uw linkerknie?'

Isa knikte en dokter Holtkamp zette er met zwarte stift een kruisje op. 'Zo!' zei hij. 'Straks komt dokter Zwart bij u, de meneer die u een ruggenprik zal geven. Ik zie u over een minuut of vijf.'

'O… oké,' bracht Isa uit.

Ruimteschijf

'Heb je het koud?' vroeg de assistente. 'Je ziet zo wit.'

'Nee,' zei Isa. 'Nee.'

'Dokter Holtkamp is een goeie, hoor. Hij is wat ouderwets met dat "u" en zo, maar hij heeft veel ervaring.'

'Ja,' zei Isa.

'Let op, daar gaan we.'

Via klapdeuren werd Isa de operatiekamer ingereden. Hier werd ze opgewacht door het medisch team, vier mannen en vrouwen in groene pakken met groene mutsjes en groene mondkapjes voor. Isa werd door twee van hen van het bed op de operatietafel geschoven en met slangetjes aan bloeddrukmeter en hartmonitor gelegd. Toen kwam er een man met een vriendelijk gezicht op haar af.

'Dag Isa, mijn naam is Jan Zwart. Ik ben de dokter die de verdovingen regelt. Hoe gaat het met je?'

'Goe... goed,' stotterde Isa. 'Ik... ik ben wel een beetje nerveus.'

'Dat is logisch, maar wees gerust. Alles komt goed, hoor. Ik wil je nu een prikje in je rug geven. Kom maar even overeind en buig dan alsjeblieft helemaal naar voren. Ja, goed zo!'

Isa kon nu met haar handen haar tenen aanraken. Haar rug stond helemaal strak en ze voelde hoe Jan Zwart net boven haar stuitje een vloeistof inspoot. Vrijwel direct voelde haar middel heel warm aan.

'Zo, ga maar weer op je rug liggen. Nu zul je voelen hoe langzaam maar zeker je onderlijf gevoelloos wordt. Daar moet je niet van schrikken, want dat is nou juist de bedoeling.' Zwart keek haar aan met zachte blik. 'Je doet aan voetbal, hoorde ik.'

'Ja,' zei Isa. 'Ik zit in het Districtselftal onder 14.'

'Ah, dan ben je vast goed.'

'Ja, ik ben spits.'

'Oei, dat is een moeilijke positie.'

'Goals maken is moeilijk, maar ook supergaaf.'

'Komt die knieblessure door voetbal?'

'Ja, ik heb een rotschop gekregen van een rotgozer.'

Een van de groene vrouwen schoot in de lach.

'Tja,' zei Zwart. 'Die dingen gebeuren soms. Gelukkig ben je jong. Dan herstel je snel.'

Isa knikte.

'Hoe voelen je benen?'

'Het is alsof ze vol lopen met heel zwaar, warm water.'

'Dat heb je mooi gezegd. Kun je je tenen bewegen?'

Isa probeerde het, maar ze kon het niet. Shit! dacht ze, ik ben verlámd. Straks kom ik in een rolstoel! 'Eh... Jan... ik...'

'Wees maar niet bang. Over een paar uur komt dat gevoel weer terug.'

'Echt waar?'

'Absoluut, anders zat ik hier niet zo rustig met jou te praten. Zo, ik ben klaar. Nu kan de operatie beginnen.' Zwart wees naar een glimmend beeldscherm boven Isa's hoofd. 'Ik neem aan dat je mee gaat kijken of doe je je ogen dicht?'

'Eh... nee, nee,' stamelde Isa. 'Ik... ik ga kijken.'

Jan Zwart ging weg en toen werd Isa's linkerbovenbeen ingezwachteld met een rubber band. Er gebeurde nog veel meer met dat been, maar daar voelde ze helemaal niets van. Ineens floepte het tv-scherm aan en verschenen er beelden die afkomstig leken uit één of ander ver heelal.

Wat is dat nou? dacht Isa. Een programma over sterrenkunde?

Daar klonk de stem van dokter Holtkamp. 'Let op, mevrouw, daar ziet u de knieschijf.'

'Huh, zit dat in mijn knie?'

'Jazeker, Isa,' zei een assistent. 'Prachtig hè?'

'Shit hé, m'n knieschijf lijkt wel een buitenaards ruimteschip, een ruimteschijf, een vliegende schotel. Zulk stralend wit heb ik nog nooit gezien. Ik...'

'Wees even stil, alstublieft. Hier ziet u het kijkbuisje.'

Isa zag een metalen buisje in beeld komen.

'Kijkt u eens, wat zien we hier? Een scheurtje op de rand van de meniscus. Het kapotte deel ga ik straks verwijderen, mevrouw.'

Isa herkende de meniscus van een foto op internet. Het orgaan leek op een half maantje en was aan de zijkant gerafeld. De rafeltjes bewogen als wuivend gras langzaam heen en weer, alsof er wind in haar knie stond. Kon zoiets? Isa giechelde zenuwachtig. 'Hi, hi, hi, wat is...'

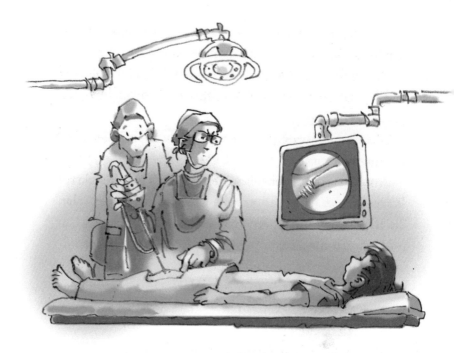

'Stil even alstublieft, mevrouw Giecheltrien!'

'Ik… ik heet Isa, hoor. Isa Laurier!'

'Stil nou eens, verdorie! Hier ziet u duidelijk een scheur in uw mediale band.' Holtkamp keek Isa recht aan door zijn dikke brillenglazen.

'Wat… wat is mediaal?' stotterde Isa.

Holtkamp gaf geen antwoord.

'Dat is je binnenste knieband,' zei een assistent. 'Die zit dus aan de binnenkant van je knie.'

'O.'

Dokter Holtkamp kreeg weer spraakwater. 'U bent nog jong. Dat scheurtje in die band groeit vanzelf weer aan elkaar. Daar doe ik niks aan.'

Toen zag Isa een mesje in beeld komen. Nu gaat hij snijden! dacht ze. O jee, als hij maar niet boos op me is en...

Het mesje sneed rafeltje voor rafeltje heel zorgvuldig weg, totdat de meniscus weer glad was. Daarna verdween het mesje uit beeld.

'Nu gaat de dokter de boel nog even schoonmaken, Isa,' zei dezelfde assistent.

Prompt verscheen er een zuigertje in Isa's knie, dat de rafeltjes wegzoog. In nog geen tien seconden was dat klaar. Toen ging het beeldscherm op zwart. Holtkamp gaf Isa een dooievissenhand en zei: 'Ik zie u 29 oktober op controle.'

'Wanneer kan ik weer voetballen?' vroeg Isa.

Dokter Holtkamp gaf geen antwoord. Zonder iets te zeggen liep hij door de klapdeuren de operatiekamer af.

'Nou ja zeg,' mompelde Isa.

'Tja, meid,' zei de assistent. 'Dokter Holtkamp is een beetje chagrijnig op maandag en alle andere dagen van de week, maar op controle hoor je alles wat je moet weten.'

Isa werd van de operatietafel op een bed met wielen geschoven en kwam in een andere, veel grotere ruimte terecht, de recovery. Hier stonden wel dertig bedden met patiënten die net waren geopereerd. Isa's moeder stond nerveus gebarend op haar te wachten. 'Dag lieve schat, hoe is het?'

Als antwoord stak Isa slechts haar duim op, maar nadat het bed op zijn plek stond, barstte ze los. Dat de operatie heel vreemd was geweest, dat er een soort minikosmos van hemelse schoonheid in haar knie zat, dat het wel science fiction leek, dat ze nog steeds van haar navel tot de puntjes van haar tenen verlamd was en dat niet Erik Petersen haar had geopereerd, maar dokter Holtkamp.

'O?'

'Hij was ver-schrik-ke-lijk onaardig.'

'Hoezo?'

Van verontwaardiging begon Isa heel snel te praten. 'Hij noemde me een giecheltrien, mam, en hij behandelde me alsof ik geen mens was, maar een... een geval, een nummer, een kapotte meniscus.'

Krukken

Een halfuur later was Isa terug op de verpleegafdeling. Haar moeder was al naar huis. Vanuit haar bed bij het raam had Isa de bestelwagen met op de flanken PATISSERIE LAURIER zien wegrijden. Ze zou haar moeder bellen als ze uit het ziekenhuis weg kon, maar dat was nog niet het geval. Eerst moest het gevoel in haar onderlichaam terugkomen.

'Straks voel je allereerst je tenen weer,' zei de verpleegkundige. 'Langzaam kruipt het gevoel dan omhoog.'

Het zou dus beginnen met haar tenen en pas als ze geplast had, mocht ze naar huis. Dat was volgens de verpleegkundige het signaal dat alles weer in orde was. Isa was net verdiept in de *Voetbal International* toen haar vader belde.

'Dag Ies, hoe is het? Voel je je benen alweer?'

'Hoi pap, nee, ik voel nog steeds niets. Je kunt ze er zo afhakken, ze in brand zetten of er naalden in steken, dat merk ik toch niet.'

'Zeg niet zulke rare dingen!' mopperde haar vader. 'Verdorie nog aan toe!'

Isa giechelde.

'Ik hoorde van mama over die onaardige dokter.'

'Ja, dokter Holtkamp heet-ie.'

'Mmh, Holtkamp, nou ja, als hij z'n werk maar goed heeft gedaan.'

'M'n meniscus is weer mooi glad, pap.'

'Ah, mooi zo. Je krijgt trouwens de groeten van Lucas.'

'Dank je.'

'Enne… ja, dat wilde ik ook nog even zeggen: er is een taart ingezakt.'

'Wat!'

'Ja, Ies, voor het eerst in mijn leven heb ik een taart verpest. Het is ongelofelijk, maar ik zat zo in de zenuwen.'

'Lief van je pap, echt lief, maar alles is goed. Straks loop ik weer als een kievit.'

Aan de andere kant van de lijn klonk een kuchje. 'Oké, dan ga ik ga snel weer aan de slag met de garnalenkroketten. Ik… ik maak ze nu met een nog knapperiger korstje.'

'Aha, en hoe is het met de Isadotjes?'

'Ze worden net als jij.'

'Half verdoofd en met een verband om hun knie?'

'Nee, gek, net zo pittig!'

Isa lachte. 'Oké, ja, doei pap!'

Nog geen minuut later belde Debbie. Isa vertelde uitgebreid over de spannendste ochtend uit haar leven. 'Die leuke roodharige dokter? Nee, helaas, Deb.' Isa dempte haar stem. 'Ik had een griezel. Moet je horen…'

Na het gesprek met haar vriendin at Isa twee boterhammen met kaas en dronk ze een glas melk. Andere patiënten druppelden binnen. Allemaal hadden ze een drukverband om hun knie en allemaal waren ze opgelucht. De verpleegkundige deelde folders uit met 'leefregels na een kijkoperatie van de knie.' Isa was een licht geval en moest snel een afspraak met de fysiotherapeut maken. Bij de folder kreeg ze een verwijsbrief voor de fysio plus een briefje voor de controle bij Holtkamp. Isa las alles door en stortte zich daarna weer op de *Voetbal International*. Halverwege een interview met Guus Hiddink gebeurde het ineens. Isa greep haar mobiel en toetste Debbies nummer in.

'Ies, wat...'

'Deb, ze wiebelen weer!'

'Wat?'

'Mijn tenen. Ze wiebelen weer!'

Anderhalf uur later reed de auto van Patisserie Laurier weer voor. Isa 's moeder meldde zich bij de verpleegafdeling met een rolstoel.

Isa trok een vies gezicht. 'Moet ik echt in die rolstoel? Als ik nou...'

'Ga zitten. Het staat in de folder.'

'Ja, maar...'

'Je moet in die rolstoel, Isa,' zei de verpleegkundige. 'Een deel van je lijf is verdoofd geweest. Je bent geopereerd en je mag je knie niet te veel belasten.'

'Maar het voelt zo goed!'

'Overschat jezelf niet. Ga maar lekker zitten.'

'Maar ik ben toch ook naar de wc gelopen? Dat ging prima.'

'Het gaat nu om een veel grotere afstand.'

'Maar met krukken...'

'Die krukken haal ik straks,' zei Isa's moeder. 'Ga zitten, verdorie!'

'Oké, oké,' gaf Isa schoorvoetend toe. Ze plofte van haar bed in de stoel op wielen.

'Daar gaan we! Zit je goed?'

'Ja, ja, niet te hard door de bochten, hè?'

'Doe niet zo gek.'

Via de lift kwamen ze in de hal van het ziekenhuis. Isa spiedde om zich heen.

'Wat zit je te kijken. Zoek je iemand?'

'Ja,' zei Isa. 'Een boze kabouter.'

'Een kabouter?'

'Holtkamp, mam. Dokter Holtkamp. Misschien kun je hem hard over zijn tenen rijden?'

Thuis nam Daan Laurier de patiënt in z'n sterke armen en sjouwde haar de trap op naar de huiskamer. 'Zo, ga maar lekker op de bank liggen. Ben je moe?'

'Nee, eigenlijk niet.'

'O, nou, ik moet verder, mama komt zo.'

'O?'

'Ja, sorry hoor, ik ben druk met het Isadotje bezig. Ik maak boven op haar hoofdje een fijn crèmewit margrietje van edelmarsepein en…'

'Zei je nou hoofdje?'

'Ja, haar hoofdje. Het wordt een topstuk, pure kunst, een beeldhouwwerkje van chocola en suikers. Ik zit barstensvol plannen. Het eerste exemplaar zal straks in de winkel door de burgemeester geproefd gaan worden. Het wordt een mediaspektakel!'

'Dat zei je al, pap.'

'O? Nou goed, ik ben dus weg!'

De deur klapte dicht.

'Haar hoofdje,' mompelde Isa zachtjes voor zich uit.

Wat later kwam Isa's moeder binnen. Ze had krukken gehaald en hielp bij het afstellen van de handsteunen. 'Ze moeten ter hoogte van je heupen zitten. Ga maar voorzichtig staan.'

Isa kwam pijlsnel van de bank omhoog.

'Niet zo snel!'

'Alles doet het weer, mam. Ik...'

'Doe rustig, verdorie! Goed, nu is het een kwestie van het juiste gaatje. Laat je armen langs je lichaam hangen, juist, zo zitten je handen precies op de plek waar de handvatten moeten zitten.'

Isa probeerde de krukken en hipte als een ekster door de kamer. 'Je kunt best snel met die dingen. Hop, hop, hop! Wat een makkie zeg!'

'Niet zo snel!' waarschuwde haar moeder.

'Ik mag mijn geopereerde been een beetje belasten. Staat in de folder.'

'Precies, een beetje.'

'Nou dan! Kijk eens, ik kan er al op staan!'

'Doe niet! Je bent wel geopereerd, ja! Ga in vredesnaam liggen. Zoiets moet je alleen doen als je trappen loopt.'

'Ja, ja,' mompelde Isa.

Haar moeder nam de krukken over en Isa liet zich op de bank zakken.

'Nou, ik ga weer naar de winkel.'

'Oké.'

'Dan kan Lucas weer naar de bakkerij. Hij is daar hard nodig, want papa is steeds met die rare bonbon bezig. Heb je zo alles bij de hand?'

Alles stond op z'n plek: een flesje water, de laptop, de mobiele telefoon, de afstandsbediening van de tv, een zak chips en de *Voetbal International*.

Dit is nu voorlopig mijn vierkante meter, dacht Isa, dit is mijn koninkrijk. Ben ik hier mezelf, net als Morris op z'n parkbankje? Dacht het niet. Ik wil hier weg! Voetballers horen sowieso niet op de bank!

'Alles oké, Ies?'

'Ja, ja, ik red me wel, mam.'

'Mooi zo.'

Isa's moeder was de kamer nog niet uit of Isa pakte haar mobieltje en zoefde via drie drukken op de knopjes naar de digitale telefoongids.

De knie spreekt

Vanaf de bank belde Isa met fysiotherapeut Carlo Lammers. Zijn praktijk zat schuin tegenover de patisserie. Ze kende Carlo van de Gazellen. 'Hoi Carlo, met Isa Laurier. Ja, het gaat goed. Vanochtend ben ik aan m'n meniscus geopereerd. Kan ik alvast wat oefeningen krijgen?'

'O, waarom heb je zo'n haast?'

'Mijn eerste internationale toernooi komt eraan, op 28 november! Wist je dat niet?'

'Jawel,' zei Carlo, 'de hele club weet dat, maar wat staat er precies in de brief van je chirurg? Kun je me dat even voorlezen?'

Isa las de brief voor.

'Morgen om halfacht kom je naar me toe,' besliste Carlo. 'Een nachtje rust is goed voor de knie en als je hier bent doen we oefeningen die we steeds intensiever gaan maken. Zo werken we langzaam naar je toernooi toe. Afgesproken?'

De volgende ochtend hipte Isa op haar krukken de straat over. In de behandelkamer haalde Carlo het drukverband van haar knie. Isa zag voor het eerst de drie wondjes, alle drie gehecht met zwart garen. Carlo drukte voorzichtig op de knie. 'Het ziet er goed uit,' zei hij. 'Ik doe er een steun-kous om en dan gaan we rustig met oefeningen beginnen.'

'Wanneer kan ik weer voetballen?'

'Misschien over een maand.'

'Ah, 11 november. Dat is prima.'

'Dat kan dus, maar ik leer je eerst weer goed bewegen. Je moet geduld hebben met blessures. Ben je wel eens eerder geblesseerd geweest?'

'Neuh, een beetje last van mijn linkerenkel. Verder nooit.'

'Moest je toen rust houden?'

'Eigenlijk wel, maar ik heb gewoon doorgevoetbald.'

Carlo schudde zijn hoofd. 'Dit is andere koek. Je luistert goed naar mij, maar ook naar je knie. Je lichaam spreekt vaak de duidelijkste taal.'

'Oké.'

'Je moet me meteen melden als je pijn hebt. Niets verhul-len. Begrepen?'

Isa knikte.

Vanaf die ochtend stond Isa's leven volledig in het teken van haar knie. Waar ze ook was, in de klas, aan de rand van het voetbalveld, in bed, in de kantine, op de bank, op de boven-ste etage van de v&d, ze werd beheerst door maar één ge-voel, één enkele gedachte: die knie moet goed zijn voor het toernooi in Brussel. Isa luisterde in deze periode nauwelijks naar leraren, vriendinnen of haar ouders, maar juist wel heel intensief naar haar lichaam. Na nog geen week fysiotherapie zei ze op een ochtend: 'Mijn knie spreekt duidelijke taal, Carlo, hij wil een bal!'

'Laat die knie maar kletsen,' zei Carlo. 'Hij spreekt wartaal.'

'Maar ik moest van jou naar hem luisteren!'

'Grappenmaker! Volgens mij is jouw knie net als jij een beetje zot. Voorlopig laat ik je geen bal aanraken!'

Maar ook Carlo zag dat Isa goed van de ingreep herstelde. Al snel liep ze zonder krukken en huisarts Gerben haalde zonder problemen de hechtingen uit Isa's knie. Intussen liep ze thuis steeds soepeler de trap op en af, maakte fanatiek kniebuigingen en deed zwaaioefeningen met haar been.

En toen kwam de bal toch weer in het spel, in het sportzaaltje van de fysiotherapiepraktijk.

'Ga maar op één been staan, Isa, je geopereerde been,' zei Carlo.

'Hé, wat gaan we met die bal doen?'

'Vang!' Carlo gooide de bal en Isa ving. 'Gooi maar terug. Dit doen we twintig keer.'

'Heerlijk!' verzuchtte Isa. 'Ook al is het dan met mijn handen. Het is balcontact.'

'Keepers zijn ook voetballers.'

'Ja, dat is waar, maar ik kan niet wachten tot ik weer een bal aan mijn voet heb.'

Carlo maakte bezwerende gebaren. 'Ja, ja, rustig aan.'

'M'n elftal heeft me nodig. Ze hebben verdorie gelijk gespeeld tegen HFC. Die staan op de laatste plaats! Zo worden we geen kampioen.'

'Niemand is onmisbaar.'

'Nou,' zei Isa met een ondeugende glimlach, 'ik toch wel een beetje, hoor.'

'Oké,' gaf Carlo toe, 'voor de Gazellen CI ben jij een beetje onmisbaar.'

Een telefoontje van de politie leidde Isa in één klap van haar knie af. Of zij misschien wist waar Morris uithing. De zwerver was uit het ziekenhuis weggelopen, terwijl hij zorg nodig had, sterker nog, er was een heel zorgplan voor hem uitgestippeld. Bovendien had hij dringend medicijnen nodig.

Shit! dacht Isa, Morris! Waarom heb ik niet veel eerder aan hem gedacht? Het antwoord wist ze donders goed. Haar wereld draaide op dit moment volledig om haar knie. 'Hij is vast terug naar z'n bankje in het Kenaupark,' zei Isa tegen de politie, 'jullie weten wel, dat bankje tegenover de kerk aan de Leidsevaart.'

'Dank je wel, we gaan daar kijken,' was het antwoord.

Isa legde de telefoon neer en besloot om meteen ook zelf op speurtocht te gaan. Ze sloeg haar biologieboek dicht en liep gehaast naar het Kenaupark, maar de bank was leeg. Toen herinnerde ze zich dat Morris had verteld over een tentje onder de bomen bij het water. Achter de bank liep een overwoekerd paadje naar de bosjes. Isa liep het paadje af en tuurde tussen het struikgewas. Geen tentje te zien.

'Zal ik?' mompelde ze in zichzelf.

De bosjes maakten geen uitnodigende indruk. Het was alsof er een bordje met NIET WELKOM hing. Toch baande Isa zich voorzichtig een weg tussen de struiken. Even later liep ze tussen de bomen over verdorde bladeren en bruine dennennaalden. Ze klauterde over boven de grond groeiende boomwortels en omgevallen bomen heen. En toen hoorde ze in de verte stemmen. Even dacht ze aan de waarschuwing van de agent met vogelpoep op z'n uniformjasje, heel even maar.

Eikels en twijgjes kraakten onder haar gympen, toen ze in de richting van het stemgeluid liep. Ze passeerde een open plek die bezaaid was met lege blikjes en pizzadozen. Ook hier geen tentje of iets anders dat op een schuilplaats leek. Ze liep langs plastic zakken en kroonkurken weer het bos in en daar zag ze tussen de bomen, vlak bij het glinsterend water, twee mannen. De ene gaf de andere net een envelop. 'Het is goed spul,' hoorde Isa hem zeggen. 'Het geeft een gevoel alsof je vliegt.'

Shit, dat ging over drugs! Onmiddellijk keerde ze om. Op de weg terug nam Isa gehaast een ander paadje tussen de struiken en toen zag ze ineens, bijna onzichtbaar door de schutkleuren, het deel van een dekzeil. Het tentje van Morris! Met een ruk stond ze stil.

'Morris?' riep Isa zachtjes.

Geen reactie.

'Morris!' riep ze nu iets harder.

Geen reactie.

Isa sloop dichterbij. Deze plek was zo dichtbegroeid, dat de zon hier niet kwam. Daarom was het zo vochtig en donker. Nu pas zag ze het tentje in z'n geheel. Het was klein en half ingezakt. Zat Morris in z'n tentje? Of was het iemand anders? Er ging een ijskoude rilling over Isa's rug. Ze spitste haar oren, maar behalve het ruisen van de eiken en haar opgewonden hartslag hoorde Isa niks. Dan er maar op af. Voetje voor voetje naderde ze de ingang van het tentje.

'Morris?'

Buiten het akelig kraken van de boomstammen kwam er geen antwoord. Isa keek over haar schouder. Niemand. Geen drugsdealers, geen zwervers, niets. Nu kon ze het tentje bijna aanraken. Plots drong een bekende geur in haar neusgaten, de geur van een schildpaddenbak die een tijdje niet is schoongemaakt.

'Morris! Ben je daar?'

Geen reactie.

Isa boog zich voorover naar de opening van de tent en kon nu naar binnen loeren. Eerst zag ze niks, want in het tentje was het nogal donker. Maar al snel ontdekte ze dat het tentje leeg was. Er was niemand. Gebukt liep ze naar binnen en als een detective begon ze in het rond te speuren. Ze vond wat peuken en een lege pot pindakaas, verder niks, tot ze in de schemering, vlak bij de verroeste tentstok, iets zag glinsteren. Onmiddellijk zag ze wat het was: de foto van de jonge vrouw! Ze raapte hem van de grond. Ja, het was absoluut dezelfde foto. Morris moest hier dus geweest zijn na z'n vlucht uit het ziekenhuis. Pas bij het bankje, in het felle zonlicht, zag ze op het kiekje een vage afdruk van twee lippen. Isa voelde een brok in haar keel komen. Morris had de foto gekust.

Nog diezelfde middag deed Isa navraag naar Morris bij andere zwervers in het park, maar die waren te dronken of te gek om zinnige antwoorden te geven. Ten slotte belde Isa de politie over het tentje. Er was tenslotte een kans dat Morris daar weer op zou duiken, misschien wel om naar die foto te zoeken. In de foto zelf had de politie geen interesse. 'We

zoeken geen jonge vrouw, maar een oude zwerver, meisje,'
zei een agent op gewichtige toon. 'Wat we nu verder gaan
doen? Nou, zijn foto komt binnenkort in de krant en we
doen ook een oproep op televisie.'

Inderdaad toonde *Opsporing verzocht* nog diezelfde avond het gezicht van Morris. Hij was bijna onherkenbaar zonder baard en snor, die kennelijk vanwege de operatie waren afgeschoren. Alleen zijn heel lichtblauwe ogen waren precies hetzelfde.

Huppelen

'Eindelijk, eindelijk, eindelijk!' juichte Isa in het sportzaaltje van de fysiotherapiepraktijk.

'Ja, ja,' zei Carlo, 'je mag nu dus beginnen met hardlopen, maar dat hardlopen bestaat wel uit drie fases. Je begint met zachtlopen.'

'Zachtlopen?'

'Ja, joggen.'

En zo jogde Isa tijdens de eerste fase elke dag tien minuten op het voetbalveld van de Gazellen. Ook mocht ze van Carlo uit stilstand kleine sprongetjes maken. Zelf noemde ze dit haar kikkerperiode. In fase twee stond hardlopen met tempowisselingen op het programma, intervaltraining heette dat. Ook mocht ze nu voorzichtig slalommen en huppelen. Vooral dat laatste vond Isa geweldig. Ze huppelde als een jong veulen in de wei, maar het allermooiste was dat ze in deze fase met een bal mocht dribbelen. Na haar eerste voorzichtige dribbelpasjes belde ze meteen Debbie. 'O, ik ben zo gelukkig, Deb. Ik mag weer ballen! Het mág weer! Ik ben weer dribbelkoningin!'

'Jeetje, Ies, geweldig!'

'Weet je, ik ben echt balverliefd!'

'Dat merk je nu pas?'

'Ja, nooit eerder was ik zo lang zonder bal.'

'Jij vindt de bal dus mooier dan bijvoorbeeld Justin Bieber?'

'Zeker weten!'

'Dat meen je niet!'

'Ja hoor, als ik alleen maar naar een bal kijk, word ik al blij. Ik kan er ook niks aan doen. Het zit in me.'

'Wanneer doe je weer mee? Winnen we weer eens.'

'Snel! Dat is zeker, maar ik moet eerst nog naar het ziekenhuis voor controle.'

'Bij dokter Griezel.'

'Ja, helaas.'

Debbie giechelde en zette een doktersstem op. 'Zeg, Giecheltrien, wanneer maak je nou weer eens een rondje taart? Dat mis ik meer dan jouw goals.'

'Vreetzak!'

'Geintje! Wist je trouwens dat Petra tijdens de training mijn suikerspin heeft geraakt.'

'Wat? Echt?'

'Ja, ze knalde de bal er tijdens een partijtje bovenop. Mijn kuif stond helemaal scheef.'

'Shit, ik wou dat ik daar bij was geweest.'

'Ja, het leek de toren van Pisa wel, maar weet je wat het mooiste was?'

'Nou?'

'Via m'n kuif vloog de bal in het doel. Ik heb ermee gescoord! Gab kan er nooit meer wat van zeggen. Mijn haar is functioneel!'

'Jouw kapsel verdient een rugnummer.'

'Ja, zoiets, zeg, over haren gesproken. Jouw Boze Wolf is best een knappe vent zonder die baard.'

'O, nou, ik...'

'Is hij nou al boven water?'

'Nee, nee, anders belt de politie. Dat hebben ze me beloofd.'

'Ondanks de vogelpoep.'

'Ja, ondanks de vogelpoep.'

'Hmm, ik heb trouwens nog nagedacht over die vrouw op de foto, Ies.'

'Wilma?'

'Ja, misschien is het een goed plan als mijn broer die foto op Hyves zet. Hij heeft wel honderdduizend vrienden. Dan schrijven we erbij dat Morris haar zoekt of zoiets.'

'Tja... ik...'

'Wat klink jij ineens tam?'

'Nou ja, ik... ik weet niet.'

'Je voelt je toch niet schuldig of zo, Ies? Hij is zelf uit dat ziekenhuis vertrokken, hoor.'

'Neuh, nou ja, mijn hoofd zit door die knie zo vol met voetbal. Daar is weinig plaats voor andere dingen.'

'Logisch!'

'Tja...'

'Weet je, het is misschien wel zoals mijn vader zegt.'

'O, wat zegt jouw vader dan?'

Debbie aarzelde een seconde. 'Het komt uit een boek, geloof ik.'

'Zeg het nou maar! Ik zal het jou niet kwalijk nemen.'

'Mijn vader zei: "Doe je een zwerver goed, dan schenkt hij jou z'n luizen."'

'Wat een stomme onzin! Ik...'

'Ja, ja, rustig maar. Ik zeg dat toch niet!'

'Oké, oké, sorry.'

'Zetten we die foto nou op Hyves ja of nee?'

'Goed,' had Isa in een flits besloten, 'we doen het.'

In fase twee mocht Isa ook weer simpele baloefeningen doen. In de tuin hield ze de bal hoog, met links en rechts, heel eenvoudig. Toen brak fase drie aan. Dit betekende sprintjes maken en kort en fel slalommen. Ook was Isa nu fit genoeg om met de bal sneller en harder tekeer te gaan. Ze trapte en passte weer voluit en was van plan om weer te gaan trainen met de Gazellen, toen ze op een ochtend wakker werd met een felle pijn in haar knie. Shit, dacht ze, heb ik net morgen die controle bij Holtkamp.

Aanstelster

Dokter Holtkamp zat in zijn smetteloze doktersjas kaarsrecht op z'n stoel. Op het bureau voor hem stond een computer. Zijn ogen achter de metalen bril waren strak op het beeldscherm gericht. 'Ik moet nog even wat gegevens invullen,' zei hij tegen Isa en haar moeder, nadat hij beiden een dooievissenhand gaf.

Isa observeerde de dokter scherp. Op zijn gezicht lag een masker van knorrigheid. Eerder had Isa met haar moeder drie kwartier in de wachtkamer gezeten. Nu zaten ze hier ook al vijf minuten te wachten.

'Hoe is het met uw knie?' Holtkamp stelde de vraag zonder van het beeldscherm op te kijken.

'Goe... goed,' antwoordde Isa.

Ineens keek Holtkamp haar priemend aan. 'Laat u maar eens zien.'

Isa stond op van haar stoel en begon haar veters los te maken, maar dat was niet de bedoeling.

'Nee, nee, laat u uw broek maar zakken. Dat gaat sneller.'

Isa knoopte haar spijkerbroek los en Holtkamp kwam achter zijn bureau vandaan.

'Blijft u zo maar staan,' zei hij. 'Mooi rechtop.'

Mooi in de houding voor jou, dacht Isa, als een soldaat bij een generaal.

'Uw knie ziet er goed uit,' oordeelde de arts.

Isa was het met hem eens. Haar knie was op het oog weer gezond en de spieren in haar bovenbeen waren prima getraind. Toen zetten de prachtige handen van de arts wat druk op de knie.

Shit! dacht Isa, wat doet dat zeer. Maar ze beet op haar tanden. Holtkamp draaide de knie alle kanten op en toen kreunde Isa toch zachtjes van pijn.

'Wat is er?' vroeg Holtkamp.

'Je… eh… u doet… eh… dat doet pijn.'

'Niet zo aanstellen, jongedame.'

'Maar ik heb pijn.'

'Nee, jongedame, dat is napijn.'

'Napijn, wat is dat?' vroeg Isa's moeder.

Holtkamp keek haar hooghartig aan. 'Dat is de pijn die uw dochter voelt, mevrouw, nadat de eigenlijke pijnverwekkende handeling al lang voorbij is.'

'O?'

'Grotendeels is dat psychisch.' De dokter gebaarde naar zijn hoofd. 'Het zit bij haar tussen de oortjes als u begrijpt wat ik bedoel.' Toen richtte Holtkamp zijn ijzeren blik weer op Isa. 'Napijn trekt vanzelf weg. Gewoon niet meer aan denken.'

'O, maar…'

Met een wegwerpgebaar legde Holtkamp zijn patiënt het zwijgen op. 'Geen gemaar, alstublieft. U heeft een kleine ingreep ondergaan en uw knie ziet er prima uit. Trek uw broek maar weer op. Met mij bent u klaar.'

Isa en haar moeder kregen een hand en Holtkamp kroop weer achter zijn computer met een blik of hij hun bezoek alweer vergeten was. Supersnel trok Isa haar broek omhoog. Ze wilde zo snel mogelijk de kamer uit. Weg bij deze man.

'Je had gelijk, schat,' zei Isa's moeder op de gang. 'Wat een vreselijke vent!'

'Ja hè. Zag je dat gebaar van hem? Zo arrogant! Als ik dat in het veld bij de scheids doe krijg ik rood!'

'En terecht.'

'Ik me aanstellen,' brieste Isa. 'Ik, Isa Lauriera!'

Ze passeerden twee andere overvolle wachtkamers. In de ene wachtkamer was het doodstil, in de andere zag en hoorde Isa een jonge vrouw zachtjes snikken. Naast haar zat een man met stijf dichtgeklemde lippen voor zich uit te staren. Wie was hij? Was hij haar vriend die zich geen houding wist te geven? Of gewoon een andere patiënt die niets met het gesnik te maken had? En wat was er met die vrouw?

'Kom je, Ies?'

'Ja, ja.'

Ze liepen langs een derde propvolle wachtkamer. Isa zag tientallen ongeruste gezichten met ogen die verdriet en woede uitstraalden. Bij de uitgang van het ziekenhuis viel er een last van haar schouders. 'Blij dat ik niet meer terug hoef, mam.'

'Daar ben ik ook heel blij om, kind.' In de auto zei Isa's moeder. 'Maar goed, het is dus napijn.'

'Ja,' zei Isa opgelucht, 'en dat gaat vanzelf weg.'

Bomen snoeien

'Laat ons eens kijken.' Astrid en Femke bogen zich over Isa's knie. 'Dus door deze gaatjes gingen de camera en het mes?'

'Ja, en de stofzuiger.'

'Stoer,' zei Femke.

'Ongelofelijk!' vond Astrid.

'Nou, dat is dan drie euro.'

'Hoe bedoel je?'

'Een euro per gaatje, voor het kijken.'

'Ja, doei!'

Isa voelde zich erg gelukkig in de kleedkamer. Diep in haar knie voelde ze nog altijd van die pijnlijke steken, maar die probeerde ze te negeren. Niet meer aan denken, dacht ze, gewoon nooit meer aan denken!

Gabriëlle kwam de kleedkamer binnen. 'Ah, daar ben je weer, Ies. Mooi zo.' Ze richtte zich tot de andere speelsters. 'Meiden, Isa is terug na een operatie, dus doe rustig aan met haar. Geen wilde tackles. Dat is verboden!'

Alle speelsters knikten braaf.

'Oké, kom op, naar het veld.'

Het getik van noppen op het tegelpad. De geur van gras. De schoonheid van een witte bal die door de blauwe lucht vliegt. Isa genoot en vergat zowaar de pijn in haar knie, maar Gabriëlle had meteen door dat ze niet compleet hersteld was. Het kappen en draaien ging moeizaam en haar sprint was niet zo fel als anders. Gretig was ze wel. Toen Isa bij een duel haar schoen verloor, ging ze op haar sok verder om de actie af te maken. Pas daarna liep ze terug om haar schoen weer aan te trekken.

'Zo ken ik je weer, Ies!' riep de trainster.

Het afronden op doel liep ook niet lekker bij Isa. Zelfs met haar rechter schoot ze matig vanwege de pijnlijke linkerknie. Ze was op de één of andere manier haar balans kwijt, tot vreugde van keepster Femke. 'Schiet me maar lekker warm, Ies,' plaagde ze. En toen een schot van Isa hoog over het vangnet de toppen van de bomen scheerde, riep ze: 'De bomen zijn al gesnoeid!'

De minst goede spelers lachten het hardst om deze grap en in hun ogen zag Isa iets wat ze nooit eerder had opgemerkt: pret gemengd met gemeenheid.

'Geeft niks, Ies,' riep Gabriëlle. 'Je moet jezelf weer een beetje uitvinden. Zoiets gaat niet een twee drie.'

Tijdens het partijtje aan het slot van de training tikte Isa heel wat balletjes breed. Geen enkele keer passeerde ze een tegenstandster. Ze leek zich ook een beetje te verstoppen, alsof ze de bal niet wilde.

'Je bent nog niet de oude Isa Lauriera,' zei Debbie na de training in een kleedkamer vol damp en rumoer.

'Nee,' mompelde Isa. 'Dat kun je wel zeggen.'

'Heb je nog pijn?'

Isa gaf een bijna onzichtbaar knikje.

'Misschien moet je toch langer rusten.'

'O nee, ik wil zaterdag meespelen tegen Geel-Wit.'

Debbie hees zich in haar strakke, zwarte kokerrokje. Ze trok haar pumps aan en wankelde naar de half beslagen spiegel. 'Er is nog geen reactie op die foto.'

'O.'

Meer kwam er niet over Isa's lippen en terwijl Debbie haar suikerspin fatsoeneerde, zag ze in de spiegel hoe Isa met haar vingers haar knie masseerde.

'Helpt dat?'

'Ik weet het niet.'

'O, maar wat zei dokter Griezel dan?'

Isa staarde naar haar knie. 'Volgens hem is het napijn.'

'Napijn?'

'Ja, dat gaat vanzelf over.'

Die avond was Isa's knie dik en rood. Het deed zo'n zeer dat ze 's nachts twee keer een paracetamol slikte. Een groot deel van de nacht stond ze bij het raam omdat ze niet kon slapen. Ze beeldde zich van alles in. Wat was er mis met die knie? Ging het scheurtje in haar knieband soms opspelen? Maar dat kón toch niet. Zeker, Holtkamp was een griezel, maar wel een goeie en ervaren orthopeed. Zweefde er dan soms iets raars door de microkosmos van haar knie? Was haar knieschijf los gaan zitten of zo? Daar leek het een beetje op. Had Carlo haar soms te vroeg oefeningen laten doen?

Moest ze wel meespelen tegen Geel-Wit? Ze zou verdorie afgaan als een gieter, tot plezier van nota bene een deel van haar eigen team, de trútten! En dan het Brusselse toernooi. Ik heb nog een maand om te herstellen, dacht Isa, misschien moet ik inderdaad langer rust houden. Ze probeerde een boek te lezen, maar dat ging niet. Al na drie regels begonnen de letters voor haar ogen te dansen. Toen zette ze maar weer de computer aan en keek voetbalfilmpjes op YouTube, maar daar werd ze nog onrustiger van. De klokken van de Grote Bavo sloegen twee uur, vier uur, zes uur…

De volgende ochtend zag Isa er gekweld en afgepeigerd uit. Ze fietste naar school en zelfs de fietsbeweging, het trappen, deed haar pijn. Met een somber gezicht ijsbeerde ze door de klaslokalen en op zaterdagochtend, na weer een slapeloze nacht, zei ze tegen haar moeder aan de ontbijttafel: 'Mam, ik heb net voetbal afgebeld.'

Haar moeders mond viel bijna open. 'Wat zeg je nou?'

'Ik heb afgebeld, bij Gabriëlle.'

'O, nou, heel verstandig. Je hebt ook zo weinig geslapen de laatste dagen.'

Isa staarde naar haar boterham. 'Ik wil naar Gerben, mam. Die knie is echt niet goed. Ik voel het aan alles.'

'Maar dokter Holtkamp zei…'

'Het kan me niet schelen wat hij zei!' Isa haalde diep adem en blies de lucht uit met een soort gekreun. 'Het is mijn knie. Ik heb pijn, echte pijn!'

In de tunnel

Drie dagen later lag Isa ruggelings op een verschuifbare tafel. Ze droeg een soort pyjama waar SPAARNE ZIEKENHUIS op stond. Langzaam schoof de tafel in de verlichte tunnel, de scanner, die zowel aan het hoofd- als voeteneind open was. Isa had een kap over haar linkerknie en op haar hoofd droeg ze een koptelefoon. Dat was om het kloppende geluid van de scanner te dempen.

'Ik regel nog een MRI-scan voor je,' had huisarts Gerben tegen Isa gezegd.

'Maar dan wel graag in een ander ziekenhuis!'

'O? Waarom?'

Isa barstte los. 'Ik wil niet de kans lopen dokter Holtkamp weer te ontmoeten. Hij is vreselijk, nee, monsterlijk.'

'Oké.'

'En dan die dokter Erik met z'n zogenaamde voetbalenthousiasme. Hij heeft niets van zich laten horen! Niets!'

'Goed, goed,' zei Gerben sussend, 'dan probeer ik het wel via Erica Wiggers te regelen, een orthopeed uit het Spaarne Ziekenhuis. Zij is erg aardig, vind ik.'

De vingers van Gerben begonnen te typen op het toetsenbord van de computer.

'Weer de tunnel in,' mompelde Isa voor zich uit.

Gerben stopte abrupt met typen en keek haar vorsend aan. 'De vorige keer had je er toch geen problemen mee?'

'Nee, nee,' haastte Isa zich te zeggen, 'dat ging goed.'

'Of had je toch een beetje last van claustrofobie? Eerlijk zeggen, Isa!'

'Eh... wat is dat?'

'Dat je het benauwd krijgt in kleine ruimtes.'

Isa had haar hoofd geschud. 'Nee hoor, het ging prima.'

Nu schoof ze tergend langzaam de scanner in. Haar knieën waren midden in de tunnel en met een schokje stopte de tafel, zodat haar hoofd buiten het apparaat bleef. Gelukkig, dacht Isa, stel je voor dat je er helemaal in moet! Uit de koptelefoon klonk klassieke muziek, iets met violen. Isa had zelf muziek mogen uitkiezen, maar ze wist niks passends. Ze had geen favoriete band of zanger. Toen maakte een verpleegkundige maar een keuze: klassieke muziek van Bach.

Een vrouw met een buitenlands accent bediende de verschuifbare tafel. Ze legde Isa de werking van de machine uit en stond nu achter een glazen ruit knoppen in te drukken. 'Blaif stil liggen,' had ze tegen Isa gezegd. 'Het duurt precies twintig minoeten. Al die taid moet je echt stil liggen anders misloekken die opnamen, die gemaakt worden met een heel groete en sterke magneet.'

Isa lag bewegingloos op de dunne matras. In haar oren klonken de violen, maar ook hoorde ze de stem van dokter Erica Wiggers. 'Waarom ga je niet terug naar dokter Holtkamp?' had ook zij gevraagd. 'Omdat hij me een aansteller vindt,' was Isa's antwoord. Nee, ze wilde niet meer terug naar die rotvent. Isa sloot haar ogen en probeerde zich haar mooiste doelpunten voor de geest te halen. De wonderschone goal tegen SRC kwam voorbij. Daarna het doelpunt waarbij ze drie tegenstanders in een denkbeeld pashokje passeerde en dribbelkoningin werd. Ook dacht ze terug aan een mooie gebeurtenis met Debbie. Tijdens de eerste wedstrijd van het seizoen waren Isa's veters geknapt. Ze kon ze niet meer aan elkaar knopen en toen had Debbie de veters uit haar eigen schoen getrokken en die aangeboden met de woorden: 'Alsjeblieft, strenge meesteres!' Wat hadden ze gelachen. Helemaal toen Isa met Debbies veters in haar schoen de 2-0 maakte, een doelpunt via...

'Hallo, Isa! Het is klaar!'

Isa schrok op uit haar dromerij. 'O, en wat zie je?'

'Dat haeb ik toch al gezegd. De aitslag komt pas over een paar dagen. Dokter Wiggers geeft het door aan die haisarts.'

Twee dagen lang was Isa extra gespitst op de telefoon. Op donderdagmiddag kreeg ze thuis Gerben aan de lijn.

'En?' vroeg ze met gejaagde stem. 'Wat is er aan de hand?'

'Nou, misschien kan ik eerst even je vader of moeder aan...'

'Nee, nee, Gerben, vertel het aan mij! Het is mijn knie!'

'Ja, ja, daar heb je gelijk in. Oké, nou goed, het nieuws is, Isa, dat we niets bijzonders kunnen zien.'

'Shit!'

'Zeg dat wel. Hoe is het met je knie?'

'Beroerd,' zei ze met een snik in haar stem. 'Het lijkt steeds erger te worden.'

137

'Dacht ik al. Daarom heb ik in overleg met dokter Wiggers besloten om een echografie te laten doen. Ze heeft je ingepland voor zaterdagochtend.'

'O?'

'Lekker snel, hè? Ik zal een mailtje naar je ouders sturen met...'

'Maar wat is een echografie precies?' onderbrak Isa Gerben.

'Je hebt vast wel eens van een pret-echo gehoord.'

'Natuurlijk, dat is een foto van een baby in de buik.'

'Precies, maar bij jou gaat het om een foto van je knie.'

Even was het stil.

'Misschien heb ik wel een kindje in mijn knie,' zei Isa nerveus giechelend. 'Hij is tenslotte al aardig dik.'

Gerben schoot in de lach. 'Dat zal wereldnieuws zijn. Ik zie de krantenkoppen al voor me.'

'Au!' riep Isa in de telefoon, 'Gerben, hij schopt!'

'Ach, dat heb je vaak met ongeboren baby's. Ze trappen je lens. Streel je knie, dan wordt-ie weer rustig.'

'Hiep hoi, het helpt!'

'Mooi zo, ik vind het een goed teken dat je grappen maakt, Isa,' zei Gerben ten slotte. 'Je bent en blijft een sterke meid. Zo ken je ik weer.'

Waardeloze dweil

'Nou, daar gaan we dan,' zei de echograaf. Hij smeerde een dikke laag gel op Isa's knie en draaide aan de knoppen van een monitor.

'Zo is het goed,' hoorde Isa hem mompelen.

Daarna plaatste hij een rond zwart doosje op haar pijnlijke plek. Dit doosje zat met een zwart snoer vast aan een glimmend apparaat.

'Via deze transducer gaan er nu geluidsgolven door je knie.'

'O, ik hoor anders niks.'

'Klopt. Het is een ultrasoon geluid, de frequentie is zo hoog dat onze oren het niet kunnen horen.' De echograaf staarde naar de monitor. 'Dit doosje verstuurt ultrasoon geluid en vangt de teruggekaatste reflecties op.'

'De echo.'

'Ja, en die echosignalen worden via dit apparaat omgezet in videobeelden op de monitor.'

'Wat zie je?'

'Nog weinig. Even geduld.'

De echograaf zweeg een poosje. Dat maakte Isa nerveus.

'Eind november,' begon ze te ratelen, 'heb ik een belangrijk voetbaltoernooi.'

'Aha.'

'Met het Districtselftal onder 14. In Brussel.'

'Juist.'

'Volgend seizoen ga ik voor ADO spelen. Dat is een... een droom die uitkomt!'

De wangen van de echograaf werden ineens wat bleker.

'Eh, Isa,' hakkelde hij. 'Ik heb beeld.'

'Ja, en?'

'Momentje, hoor,' zei de echograaf en hij wendde zich tot Isa's moeder, die even verderop in een tijdschrift zat te bladeren. 'Mevrouw, kunt u even hier komen, alstublieft?'

'Hoezo?' vroeg Isa paniekerig. 'Waarom? Wat is er?'

Meteen legde haar moeder het tijdschrift weg en kwam bij de behandeltafel staan. 'Wat is er? Het is toch wel goed?'

'Nou, mevrouw, de meniscus en kniebanden lijken me genezen, maar...'

'Ja?'

'Een flink stuk pees is lelijk ontstoken. Dat veroorzaakt de pijn.'

Vanaf de behandeltafel keek Isa de man glazig aan. 'Een stuk pees. O, kan daar snel iets aan gedaan worden?'

'Sorry, maar voor ontstekingen in je knie moet je zeker twee maanden rust uittrekken.'

Isa werd zo wit als een doek. 'Twee máánden!'

'Absoluut.'

Ze schudde met haar hoofd alsof het haar duizelde. 'Maar... maar...'

'Ach, lieve schat,' suste haar moeder. 'Rustig maar. Rustig.'

Isa voelde zachte handen op haar schouders.

'Dat toernooi moet je echt vergeten,' zei de echograaf, 'maar gelukkig komen er nog veel andere wedstrijden. Je bent nog jong en...'

Isa hoorde hem al niet meer. Ze kromp in elkaar op de behandeltafel en begon luid te snikken, met haar handen voor haar gezicht, schokkend over haar hele lijf.

Een kwartier later zat Isa stilletjes met haar moeder in de werkkamer van Erica Wiggers. Daar hoorden ze wat er te doen was aan de ontstoken pees en hoe zoiets kan ontstaan. Net als de echograaf schreef Erica minstens twee maanden rust voor en een lichte vorm van fysiotherapie. Over de oorzaak van de ontsteking was ze duidelijk. 'Het spijt me om het te moeten zeggen, maar er is bij de operatie hoogstwaarschijnlijk geen steriel gereedschap gebruikt.'

'Holtkamp!' kreunde Isa. 'De zak!'

Isa's moeder sprong op van haar stoel. 'Wat zegt u nu?'

'Geen steriel gereedschap,' herhaalde de arts. 'De sterilisatie is vrijwel zeker slecht of niet uitgevoerd, zodat er bacteriën of virussen op zijn achtergebleven.'

Er viel een stilte als na de ontploffing van een bom.

'Schandalig!' mompelde Isa's moeder toen zachtjes voor zich uit.

'Zulke dingen kúnnen gebeuren, mevrouw Laurier.'

'Wat... wat nu, dokter?'

'Isa moet rust houden, mevrouw. En fysiotherapie doen.'

Isa's lippen beefden. Er zat een brok in haar keel zo groot als een voetbal. Met een niets ziende blik staarde ze naar de muur. Pas in de auto, op weg naar huis, kwam er een reactie. Er spoelde een golf van woede door haar heen en ze gaf zo'n harde gil, dat haar moeder bijna de macht over het stuur verloor.

'Gaat het?' vroeg ze geschrokken. 'Moet ik stoppen?'

Isa schudde haar hoofd.

'Weet je het zeker?'

Isa knikte, maar haar moeder parkeerde de auto toch langs de weg. Ze zette de motor af en legde haar hand op Isa's bovenbeen. 'Ik vind het heel erg voor je, lieve schat.'

Isa staarde naar de weilanden.

'Zeg eens wat, Ies!'

Traag draaide Isa haar hoofd naar haar moeder. 'Wat een waardeloze dweil, die Holtkamp!' siste ze tussen haar tanden. 'Wat een zak!'

'Je hebt helemaal gelijk, schat. En weet je wat, ik ga een klacht tegen hem indienen. Zoiets is toch niet te filmen!'

Ineens voelde Isa zich leger en verdrietiger dan ooit tevoren. Ze richtte haar blik weer op de weilanden zonder iets te zien.

Haar moeder trommelde nerveus met haar vingers op het stuur, minutenlang. Toen startte ze dan toch de auto en reed de weg op. Ook Isa's lippen kwamen weer in beweging. 'Wat... wat nu?' hakkelde ze.

'Kalm blijven. Je moet eerst Martin van Os afbellen. Je...'

'O nee!' riep Isa uit. 'Ik heb nog een kleine maand.'

'Hou jezelf toch niet voor de gek, Ies! Denk nou eens na, verdorie!'

Isa staarde kilometers lang zwijgend naar het dashboardkastje en mompelde toen zachtjes voor zich uit: 'Misschien gebeurt er nog een wonder.'

Geduld

De volgende ochtend kwam Isa opvallend vroeg terug van de fysiotherapeut.

'Wat ben jij snel terug,' zei haar moeder. 'Is er iets?'

'Hier word ik helemaal gek van!' riep Isa. 'Carlo zet me steeds aan een of ander apparaat en dan loopt hij weg! Wat heb ik daar nou aan?'

'Maar wat doet dat apparaat dan?'

'Niks! Dat is het hem nou juist, mam. Drie keer niks!'

'O? Nou, doe eens rustig. Ga eerst eens zitten.'

'Ik ben rustig, verdorie!'

'Noem je dit rustig?'

Isa snoof van woede. 'Het helpt geen donder, mam, gek word ik ervan. Ik ben gewoon weggelopen. Hij bekijkt het maar!' Ze hinkte naar de bank en liet zich er languit op vallen. Precies op dat moment ging de vaste telefoon.

'Ik neem hem wel,' zei haar moeder.

Eerder had Isa resoluut haar mobieltje uitgezet en nu sloot ze haar ogen om de wereld buiten te sluiten, maar dat hielp niet.

'Het is voor jou.'

Isa opende haar ogen en keek haar moeder gekweld aan. 'Wie is het?'

'Carlo.'

'Shit!'

Haar moeder drukte haar de telefoon in de hand.

'Isa? Carlo hier, ik wil dat je me nú belooft dat je de eerste twee weken geen bal aanraakt.'

'Eh…' stamelde ze.

'Ik weet dat je verslaafd bent, maar als je geen rust houdt, kan ik niets voor je doen. Dan kun je beter naar een andere fysio. Wil je dat?'

'Eh… nee.'

'Lúíster dan naar me!'

Isa beloofde beterschap, want ze had inderdaad stiekem in de tuin tegen een bal getrapt.

'Mooi zo, en nog iets: voortaan schreeuw je niet meer tegen me!'

'Nee,' fluisterde Isa in de telefoon, 'nee, dat zal ik niet meer doen.' Ze dacht aan gymleraar Victor. Precies een week geleden vroeg hij op heel normale toon wanneer ze weer eens mee zou gymen. Ze was woedend geworden. Hij dacht toch zeker niet dat ze zich aanstelde, dat ze een lui varken was of zoiets? Haar blessure was verdorie echt. Victor was geschrokken van haar uitbarsting en Isa zelf eigenlijk ook. Door die rotknie leek ze een ander mens te worden, een minder leuk mens.

'Jij bent ook zelf verantwoordelijk voor je genezing,' vervolgde Carlo. 'Ik kan je daarbij steunen, maar dan moet je wel mijn behandelplan volgen en elektrotherapie hoort daarbij. Ik geloof in die machine, nee, het is geen wondermiddel, maar het is pijnstillend. Daardoor komt je knie tot rust. Begrijp je?'

'Ja,' zei Isa kleintjes.

'Bij blessures is geduld erg belangrijk, Isa, misschien wel het allerbelangrijkst.'

'Hmm...'

'Niks hmmm! In het Latijn wordt "geduld" vertaald met "patientia", zeg maar patiënt. Om te genezen is dus geduld nodig, bróódnodig. Ja?'

'Oké.'

'Mooi zo. Jij gaat geduld hebben. Afgesproken?'

'Afgesproken,' zei Isa, en ze drukte de telefoon uit.

'Heb je vrede gesloten?' vroeg haar moeder met een bezorgde blik.

Isa gaf een halfhartig knikje.

'Zal ik dan Martin voor je afbellen, lieve schat. Ik begrijp heel goed dat je...'

'Nee, mam!' onderbrak Isa haar vinnig. 'Dat doe ik zelf wel! Ik ben geen klein kind!'

Na deze uitval bleef ze zeker een halfuur op de bank liggen. 'Patientia,' mompelde ze voor zich uit. 'Patientia Isa Lauriera.'

Het oefenschema van de fysiotherapeut hing boven Isa's bed en met een meetlint mat ze om de twee dagen de omtrek van haar knie. Tot haar schrik merkte ze diezelfde ochtend dat haar wrakke knie nu drie centimeter dikker was dan haar gezonde knie. Het ging steeds slechter en Isa had de dagen na het telefoongesprek met Carlo pijn met lopen, fietsen en zelfs zitten. De binnenkant van haar knie deed pijn, zoals altijd, maar nu kreeg ze ook last van de onderkant van haar knieschijf, of de achterkant, dat wist ze niet precies. Wat moest ze doen? Het gehoopte wonder kwam niet. Moest ze nu toch het Districtselftal afbellen? Ja, ze moest zich afmelden, maar door een onverwacht telefoontje van Martin van Os op een woensdagavond deed ze het niet.

'Hé Isa Lauriera,' zei de coach op montere toon, 'ik stoor je toch niet?'

'Nee… nee hoor,' hakkelde Isa. 'Nee, helemaal niet. Ik zat iets stoms op tv te kijken.'

'Aha, zeg, hoe is het met je knie?'

'Goe-goed,' stotterde Isa.

'De revalidatie gaat dus goed?'

'Ja…'

'Mooi zo! Ik wist het wel. Sorry dat ik niet eerder belde, maar ik was erg druk.'

'Het geeft niet.'

'Ja, ja, met die kijkoperaties gaat het allemaal zo snel. Vroeger werd je hele knie opengelegd en duurde het maanden voordat je weer kon ballen.'

'Ja…'

'Nou, meid, goed nieuws, meer hoef ik niet te weten. Je staat op de lijst. De Belgen wachten op je. Heb je er zin in?'

Met moeite kon Isa haar tranen bedwingen. 'Ja,' perste ze eruit.

'Nou, dan zie ik je snel!'

'Ja,' zei Isa, 'ik zie je snel.'

De middenstip als neus

Isa's school was een onromantisch, groot, grijs gebouw. Het lag midden in een woonwijk en was omgeven door betonnen tegels. Op het schoolplein waren de tegels op sommige plekken groen geverfd.

'Waarom zijn die tegels eigenlijk groen, Deb?' vroeg Isa.

Debbie dacht twee seconden na. 'Die groene kleur moet ons laten denken dat het gras is.'

'Alsof wij daar in trappen.'

'Wij niet nee.' Debbie zat gehurkt op de tegels. Ze had krijtjes uit de klas meegenomen en tekende lijnen, doelen en cornervlaggen op het groene tegelvlak.

'Vergeet de penaltystippen niet,' zei Isa.

'Komt eraan, mevrouwtje, maar eerst de kwartcirkels bij de cornervlaggen. Die zijn namelijk heel belangrijk!'

Isa dacht natuurlijk meteen aan de vliegende hoekvlag. Het leek een eeuwigheid geleden.

'Hartstikke shit dat je dat toernooi waarschijnlijk mist, Ies.'

Isa zei niets. Meteen na het telefoongesprek met Martin ging het ineens een stukje beter met de knie. Hij was zowaar een halve centimeter geslonken. Misschien gebeurde er op het aller-aller-allerlaatste moment toch nog een wonder. Zoiets gebeurde vaak in speelfilms. Waarom niet in haar leven?

'Maar geloof me, straks ben je weer helemaal de oude en speel je de sterren van de hemel.'

Isa volgde met haar ogen de schetsende linkerhand van haar vriendin.

'Als troost maak ik dit kunstwerk voor je.'

Isa glimlachte zwakjes.

'Zo, als het niet gaat regenen blijft dit veld nog weken staan.'

'Het is mooi. Nu is het wel echt gras.'

'Nu de *finishing touch*,' besliste Debbie. Met krachtige halen begon ze aan een tekening in de middencirkel. Ondertussen vormde zich een kring van toeschouwers om hen heen en kwam er commentaar.

'Hé,' zei er eentje. 'Dat is het gezicht van Isa.'

'Ja, zeker weten,' zei een ander. 'Het lijkt goed. De middenstip is haar neus. Geweldig!'

'Als er straks maar niemand over haar heen loopt,' zei weer een ander. 'Of haar uitgumt.'

'Waag het niet,' gromde Debbie zonder op te kijken.

Isa keek gefascineerd toe hoe uit de middencirkel haar gezicht tevoorschijnkwam. Het was alsof ze in de spiegel keek. Debbie tekende tot slot een glimlach van krijt rond haar mond. 'Kijk eens! Voor jou, helemaal af.'

'Je bent een kunstenaar, Deb, echt waar.'

'Weet ik toch!'

De toeschouwers dropen af. Debbie stopte de krijtjes in

haar broekzak en keek Isa aan. 'Er is nog steeds geen enkele
reactie op de foto van die Wilma.'

'O.'

'Maar... er is wel iets anders.'

'Hoe bedoel je?'

'Tja, Ies, misschien heb ik Morris gezien.'

'Wat?'

'Ik weet het dus niet zeker.'

'Dat zeg je nu pas!? Wanneer? Waar?'

'Vanochtend vroeg, maar wat ik zeg...'

'Waar zag je hem?'

'Vlak bij de bibliotheek, op de hoek bij de Botermarkt.
Hij voerde duiven, maar...'

'Hoe zag hij eruit?'

'Nogmaals, ik weet dus niet zeker of het hem was. Hij zag er anders uit dan op die foto op televisie. Hij had een klein baardje. Z'n haren waren een stuk korter en z'n ogen waren anders, minder levendig, zonder die gloed. Hij was ook dunner.'

'Droeg hij die zwarte jas?'

'Nee, een grijs geval, modelletje Leger des Heils.'

'Zag hij er gezond uit?'

Debbie haalde haar schouders op. 'Hij had een blik bier in z'n hand. Ook daarom twijfel ik. Na zo'n operatie is dat toch niet verantwoord!'

'Shit, wat stom van hem! En?'

'Wat en?'

'Wat zei hij? Heb je hem gesproken?'

Debbie streelde de sluiting van haar jas. 'Nee joh, hij stond te zwabberen op z'n benen van het bier... en hij was druk met z'n duiven in gesprek.'

Nog diezelfde middag liep Isa, haar pijn verbijtend, naar de Botermarkt. Het stikte er van de duiven, maar Morris was er niet. Daarna kamde ze het hele Kenaupark uit. Ze ging langs alle bankjes, de villa's en de herenhuizen, langs het monument voor de vermoorde verzetsstrijdster Hannie Schaft, maar Morris was nergens te bekennen. Ook het tentje was nog altijd onbewoond. Wel stuitte ze in de bosjes op verroeste boodschappenkarretjes van Albert Heijn en injectienaalden. Hij heeft vast ergens onderdak gevonden, dacht ze, dat kan niet anders met die kou. Want koud was het! Isa's adem bevroor. Shit, dacht ze, misschien zit hij wel de hele dag vogelboeken te lezen in de bibliotheek. Daar was koffie, een wc en warm water, je kon er zelfs internetten. Maar ook in de bieb was geen spoor van Morris. Isa deed er tevergeefs navraag bij de medewerkers en zwerverstypen die er een krantje lazen. Als laatste mogelijkheid koos ze voor de bovenste etage van de v&d. De roltrappen brachten haar naar het restaurant, maar helaas weer geen Morris, wel enkele echtparen op leeftijd die aan de koffie met gebak zaten. Isa rekende een glas thee af, ging aan een tafeltje zitten en keek minutenlang uit over de stad. Af en toe liet ze haar blik langs het loodgrijze wolkendek dwalen, alsof ze verwachtte daar Morris met wapperende jaspanden langs te kunnen zien vliegen.

Po-si-tief

Carlo trok en draaide voorzichtig aan Isa's knie. Ze schreeuwde het nog net niet uit van pijn.

'Doet dit zeer?'

'Hartstikke zeer!'

'Kun je je knie buigen?'

Buig, stomme knie! dacht Isa. Maar de knie weigerde. Wel maakte hij een vreemd, klagend geluid.

'Er zit veel vocht in.'

'Hij is nu vier centimeter dikker dan die andere, Carlo. Vier!'

Carlo keek Isa strak aan. 'Je hebt niet stiekem gevoetbald?'

'Nee!' gilde Isa. 'Nee! Geloof me nou eens!'

De fysiotherapeut slaakte een zucht. 'Dit is abnormaal. Ik stuur je terug naar de orthopeed. Ik weet het niet meer.'

Nog diezelfde middag zat Isa samen met haar moeder bij Erica Wiggers in het ziekenhuis. Ook zij bevoelde Isa's knie aan alle kanten. 'Mmmh,' bromde ze ten slotte. 'De meeste pijn zit waar de pees aan de knieschijf hecht.'

Op Isa's voorhoofd parelden zweetdruppeltjes. Niet eerder voelde ze zulke pijn. Met moeite wist ze haar tranen in te slikken. 'Eh... Erica,' bracht ze uit.

'Ja.'

'Op... op internet heb ik gelezen over injecties met cortisonen. Voetballers als...'

Verder kwam ze niet.

'O nee, daar komt niks van in! Zo'n injectie in of rond je pees is erg gevaarlijk. Er kan een scheur in je pees komen. Geloof me, dan ben je nog verder van huis.'

'Maar wat dan? Rust helpt niet. Het wordt alleen maar erger!' De zweetdruppeltjes sijpelden naar het kuiltje in Isa's kin.

'Ik ga de ontstoken pees blootleggen. Dan zie ik wat er aan de hand is en kan ik ingrijpen. Dit gaat zo niet langer.'

'Je gaat kijken, je... je bedoelt een nieuwe kijkoperatie?'

Erica knikte.

'Maar wanneer kan ik dan weer voetballen? Na de winterstop?'

Erica schudde heel beslist haar hoofd. 'Het spijt me erg, maar voor jou is het voetbalseizoen afgelopen.'

In Isa's hart steeg een doffe pijn op. Deze pijn voelde heel anders dan de felle steken in haar knie.

'Rustig maar, schat.' Haar moeder pakte haar hand vast en veegde tegelijk met een zakdoekje Isa's voorhoofd en kin droog.

'Eens kijken.' Erica bladerde in haar map. 'Over drie weken kun je terecht en dan moet je toch rekenen op drie weken gips en een flinke revalidatie.'

'Mag... mag ik tot de operatie mijn oefeningen blijven doen?'

'Nee, geen fysiotherapie meer. Je knie is dikker dan ooit.'

Isa knikte. Ze had het zelf opgemeten. Haar linker was nu bijna vijf centimeter dikker dan haar rechterknie. Vijf!

'Maar na... na de operatie kan ik weer voetballen, op mijn oude niveau bedoel ik.'

'Ik weet niet wat ik in je knie aantref.'

'Moet ik weer in de MRI-scan?'

'Nee, ik wil het met eigen ogen zien.'

Isa staarde naar de littekens op haar knie.

'Je bent een sterke, jonge meid. Dat komt gewoon goed, hoor! We willen met z'n allen dat die pijn weggaat. Dat is het voornaamste. Daarna komt het voetbal.'

Isa slikte twee keer en bracht toen moeizaam uit. 'Weet je, Erica, het is niet mijn hobby of zo. Voetbal is... is álles voor me.'

In de auto hield Isa zich nog groot, maar op haar kamer wierp ze zich op bed. Haar schouders schokten van de snikken.

'Ach, lieve schat,' zei haar moeder, 'kom eens hier!'

Isa liet zich gewillig omarmen en snotterde: 'Kon ik de tijd maar terugdraaien, mam. Kon ik die schop maar ongedaan maken. Had... had ik die knul maar niet uitgedaagd.'

'Kom op, Ies. Je bent zo sterk!'

'Die rotzak!' snikte Isa. 'Hij deed het expres. Ik weet het zeker, mam, je hebt het toch ook gezien?'

'Zeker,' suste haar moeder. 'Ik heb het gezien en die jongen is een verschrikkelijke eikel!'

Zoiets grofs had Isa haar moeder nog nooit horen zeggen. Het deed haar enorm goed. 'En die Holtkamp...'

'Ja, Ies, rustig maar, ze gaan onze klacht heel serieus bekijken en ons snel precies vertellen wat er is gebeurd.'

'O, nou, fijn.'

'Holtkamp krijgt vast een flinke tik op z'n vingers.'

'Ja, het liefst zo hard dat hij voorlopig geen mes meer kan vasthouden!'

Na het avondeten had Isa zichzelf weer onder controle. 'Ik ga Martin bellen, mam. Dan kan hij een invaller regelen.'

'Ik wil anders ook wel bellen, hoor,' zei haar moeder meteen. 'Misschien...'

'Nee, ik wil het zelf doen.'

'Prima! Zie je nou wel dat je sterk bent.'

'Met Martin!'

'Dag trainer.'

Op de achtergrond hoorde Isa voetbalgeluiden: het stuiteren van de bal, geschreeuw en gejoel, vrolijkheid.

'Hé, Isa Lauriera! Verlang je ook zo naar Brussel?'

Struikelend over haar woorden vertelde Isa wat er aan de hand was.

'Wat shit zeg, maar waarom heb je me dat niet eerder gezegd?'

'Het... het spijt me, Martin. Ik wilde zo graag! Ik... ik...'

'Ik begrijp het al, Isa, echt waar.'

'O, gelukkig!'

'En ik weet zeker dat jij ijzersterk terugkomt. Je moet je nu maar richten op volgend jaar augustus, dan hebben we een toernooi in Noorwegen. Daar nodig ik je nú al voor uit.'

'Jeetje,' stamelde Isa, 'ja, dat zou fantastisch zijn.'

'Doe maar rustig aan. Bij ADO kun je volgend seizoen beginnen wanneer je wilt. Ik regel dat. Maak je daar maar geen zorgen over.'

'Dank je.'

'Nee, ik moet jou bedanken! Straks kan ik tegen iedereen opscheppen dat ik jou, de grote Isa Lauriera, bij ADO heb gebracht.' De trainer lachte zijn bassende lach. 'Zeg, ik neem aan dat je mee naar Brussel gaat. Om de sfeer te proeven.'

Isa gaf niet direct antwoord. Ze stond voor haar slaapkamerraam met uitzicht op de tuin. Ze keek naar het gras met treurige en verlangende ogen. 'Nou, trainer, dat is het hem nou juist, die sfeer…' Met moeite onderdrukte Isa een snik. 'Ik word zo verdrietig langs de kant, zo kwaad ook. Bij m'n eigen club ga ik ook nooit meer kijken, want ik voel me dan zo waardeloos. Ik …'

'Begrijp ik toch!' riep Martin uit. 'Nee, meid, ik snap het. Het is voor jou extra frustrerend, omdat je zo verrekte goed bent.'

'Ja,' antwoordde Isa dankbaar. 'Ja, dat is zo.'

'Bij ons hoef je ook niet te komen kijken, hoor. We hebben trouwens een splinternieuwe website, waarop je alles kunt volgens als je wilt.'

'O?'

'En over jouw kwaadheid nog dit, en nu ben ik heel serieus. Je bent vanzelfsprekend kwaad op die sukkel van een gozer die jou die schop gaf en die stomme chirurg. Logisch, maar dat kost je alleen maar energie die je juist nodig hebt om te genezen. Richt je volledig op je herstel, denk positief! Dat helpt!'

'Ja,' zei Isa.

'Straks vlinder jij weer over het veld, echt waar.'

De volgende ochtend bracht de postbode een pakje bestemd voor 'Isa Lauriera'. Afzender was de KNVB. Met het pakje in haar trillende handen ging Isa naar haar kamer. Ze verwijderde het pakpapier en onder het kartonnen deksel vond ze haar keurig opgevouwen hemelsblauwe shirt. Isa liet haar vingertoppen langzaam over de letters van haar voetbalnaam glijden. In het pakje zat ook een briefje, ondertekend door Martin. Er stond: 'Kijk veel naar dit prachtige shirt, dan zien we je snel weer op het veld!' Wat súperlief, dacht Isa, dat heeft hij gisteren meteen verstuurd! Uit haar bureaulade pakte ze twee punaises en prikte het shirt boven haar bed aan de muur. 'Zo!' zei ze hardop tegen zichzelf. 'En nu po-si-tief zijn, Isa Lauriera!'

Voetbaljunkie

Isa voelde zich een stuk beter, want er was een nieuw doel aan de horizon: het toernooi in Noorwegen. Zeker, ze zou voor een tweede keer geopereerd worden, maar daarmee zou haar blessure ook uit de wereld zijn, althans, dat hield ze zichzelf honderd keer per dag voor, steeds vaker hardop. 'Zeker weten word ik beter,' zei ze dan tegen zichzelf. 'Zeker weten kom ik in Oranje onder 15!' Isa dacht zoveel mogelijk positief, lachte weer, maakte grapjes, maar kon niet zonder bal.

'Mijn voeten lopen als vanzelf achter de bal aan, Deb, alsof er een geheimzinnige kracht van buiten meespeelt.'

'Ach kom nou,' zei Debbie. 'Overdrijf toch niet zo!'

'Nee, ik kan echt niet zonder. Enne...'

Debbie zag aarzeling in de groene ogen. 'Ja, zeg het maar. Bij mij kun je alles kwijt, dat weet je.'

'Enne... in de tuin hou ik elke dag een balletje hoog.'

Debbie liet een kreunend geluid los en siste: 'Wát? Doe niet zo stom!'

'Ik kan er niks aan doen.'

'Shit hé, maar als je ouders het merken, wat dan?'

Isa's wangen kregen een kleur. 'Mijn moeder weet het.'

'Wat!? Dat meen je niet!'

'Zij begrijpt me. Elke dag mag ik van haar vijftien minuten de bal hooghouden, op voorwaarde dat ik me na de operatie rustig houd.'

'Als een soort uitlaatklep.'

'Ja, ik kan dus echt niet zonder.'

Debbie keek haar vriendin hoofdschuddend aan. 'Wat ben je toch een voetbaljunkie.'

'Ja, zo kun je het noemen.'

'Maar doet het dan geen zeer?'

'Natuurlijk wel, maar weet je, hoe minder ik het mag doen, hoe meer ik ervan ga houden.'

'Misschien moet ik je bal lek steken. Waar ligt-ie?'

'Ja, dag! Ik vertel jou niks meer.'

De vriendinnen liepen over het schoolplein. Boven hun hoofden hing een hemel die bijna nog grauwer was dan het schoolgebouw.

'Weet je moeder ook van je cijfers?'

'Nee, mijn rapport wordt een drama. Nou ja, het is niet anders.'

Ze stopten bij Debbies krijttekening.

'Ik lig er nog mooi bij.'

'Ja, ik heb laatst een jongen die erover heen stampte een zet gegeven. Hij schrok zich wild.'

'Niemand loopt over Isa Lauriera heen,' zei Isa grinnikend.

Wat later stapten Debbie en Isa de school binnen. Ze waren al bijna bij het biologielokaal toen Debbie haar vriendin aanstootte. 'Ik heb nog wat. Dat is lachen!'

'Vertel.'

'Nee, je moet het zien. Of nee, horen!'

'Kom maar op.'

'Nee, niet hier. We moeten naar de toiletten.'

In de wc-ruimte ging Debbie als vanzelf voor de spiegel staan. Ze ontdekte een spartelende vlieg in haar hoog opgespoten haren. 'Krijg nou wat, ga weg beest! Shit, dat is wel een nadeel van die torencoupe. Er vliegt van alles in.'

Isa mompelde iets onverstaanbaars terug. In haar ogen verscheen een bezorgde blik.

'Wat zeg je, Ies?'

'Na de operatie kan ik hier niet naar de wc.'

'Hoezo niet?'

'Door dat gips kan ik straks mijn been niet meer buigen en kan de wc-deur niet dicht. Het wordt voor mij de invalidenplee.'

Het lukte Debbie om de vlieg weg te jagen. 'Dat is maar voor eventjes, Ies.'

'Met gips kan ik ook nooit die hoge trappen op.'

Debbie legde haar hand op Isa's schouder. 'We hebben liften.'

'Met handvaardigheid zitten we in de kelder. Daar komt de lift niet.'

'Dat is waar.' Ineens kreeg Debbie een ondeugende blik in haar ogen.

'Wat is er?' vroeg Isa op argwanende toon.

'Hi, hi, ik zie iets voor me.'

'Wat dan? Ik op de invalidenplee?'

'Nee, ik zie Janssen jou in zijn armen nemen en de trap op en af dragen. Hoe romantisch!'

'Ik moet er niet aan denken, zeg! Janssen! Met die buik!'

'Ach, daar lig je stevig en dan geeft hij je misschien wel een tien op je rapport!'

Isa keek op haar horloge. 'Ja, dat zal wel, nou vooruit, laat zien of horen.'

'Oké.'

Tot Isa's stomme verbazing trok Debbie haar truitje omhoog.

'Kijk eens, ik heb een nieuwe beha.'

Isa zag een doodnormale beha. Niets bijzonders. 'Saai ding. Misschien moet je er iets op tekenen?'

Debbie draaide haar rug naar Isa toe en zei grinnikend: 'Hij is helemaal niet saai. Maak het haakje eens los.'

'Hoezo?'

'Toe, doe eens.'

'Kom op zeg. Waarom? Vraag dat maar aan je liefje.'

'Heb ik niet. Doe het nou!'

'Oké. Jij je zin.'

Isa maakte het haakje los en direct galmde er bombastische muziek door de ruimte.

'Shit, wat is dat nou?'

'Luister! Je herkent het toch wel?'

'De *tune* van de Champions League! Hoe kom je daar nou aan?'

'Voor tien euro via internet. In de kleedkamer hebben we ons gek gelachen. Wil je er ook eentje?'

Voetbal uit het stenen tijdperk

In de aanloop naar de operatie begon Isa zich sterker te voelen, wat alles te maken had met het naderend schoolzaal-voetbaltoernooi. Waarom zou ze niet een wedstrijdje mee doen? Alles in haar knie was toch al kapot en ze zou tenslotte worden geopereerd. Wat kon er misgaan? Ze sprak erover met Debbie.

'Het niveau op het schooltoernooi is zo laag, Deb, op één been kan ik het wel af. Makkelijk zat!'

'Tja, je kunt het altijd proberen. Als het te veel pijn doet, kun je meteen stoppen.'

'Precies, dan stop ik meteen.'

Debbie keek Isa scherp aan. 'Als je maar niet pingelt, Isa Lauriera.'

'Doe ik niet. Voor één keertje hou ik me aan de wet van Cruijff, en in de zaal mag je elkaar trouwens niet eens aanraken.'

'Officieel niet, dat klopt, maar er kan altijd een klungel tussen lopen.'

'Ach, daar ben ik niet bang voor.'

Ze sprak er ook met haar moeder over, op de avond voor het toernooi. 'Ik zal voorzichtig zijn, mam, en het zal me súpergelukkig maken, gewoon een wedstrijdje op een klein veldje. Geen kuilen, geen geduw en getrek, geen gedoe.'

Op het voorhoofd van haar moeder verscheen een diepe rimpel. 'Wat vindt de gymleraar ervan? Hoe heet hij ook alweer?'

'Victor vindt het prima. Zeker weten.'

'Aha.'

Toen begon Isa nerveus te ratelen. Dat het hooghouden in de tuin zo goed ging, dat haar knie nog maar twee centimeter te dik was, dat...

'Ja, ja, stil even.' Vervolgens dacht Isa's moeder hardop na. 'Straks zit je weken in het gips en kun je geen vin verroeren. Het zou inderdaad goed zijn als je weer even tussen de meiden staat en een balletje tikt.'

Isa's ogen begonnen te glinsteren.

'Maar ik zal het ook even aan papa vragen.' Isa's moeder pakte de telefoon en belde naar de mobiel van haar man, die zoals gewoonlijk tot laat in de avond in de bakkerij aan het werk was. Ze legde hem de situatie uit. Isa spitste haar oren, maar ze kon uit de antwoorden van haar moeder niets zinnigs opmaken.

'Oké, Daan,' besloot haar moeder het gesprek. 'Tot straks.'

'En?' vroeg Isa. 'Mag het?'

'Als Victor het goed vindt, vindt papa het ook goed.'

'Yes!'

'Maar geen gekke dingen doen! Geen tegenstanders plagen en zo.'

Isa omhelsde haar moeder. 'Natuurlijk niet, mam.'

En dus pakte Isa die zondagochtend voor het eerst in lange tijd haar voetbaltas weer in. Het shirt boven haar bed leek nog hemelsblauwer dan anders en de bomen in de tuin leken wel groener. Ook de vogels schenen vrolijker te tjielpen en het gazon, haar officieuze trainingsveld, flonkerde als groen fluweel.

Op de deur van kleedkamer nummer drie hing een A4-tje met de tekst Meisjes Anton Valens School. In deze kleedkamer kreeg Isa een enthousiast onthaal door de speelsters uit haar klas.

'Kijk nou,' riep er eentje. 'Isa met haar voetbaltas! Doe je echt mee, Ies?'

'Ja,' zei Isa, 'en ik heb er verschrikkelijk veel zin in.'

'Zien jullie nou wel,' riep Debbie, 'dat ik geen onzin vertel.'

'Met Isa pakken we de beker,' zei een ander. 'Dat is zeker!'

'Natuurlijk,' riep Debbie, 'ze is de koningin van de vierkante meter. Zij kent alle trucs!'

Isa hing ogenschijnlijk kalm haar jas aan de kapstok, maar het bloed pompte met een enorme vaart door haar lichaam. Midden in de kleedkamer stond een grote tas met voetbalkleding op de vloer, het rood-witte schooltenue. Isa kleedde zich bliksemsnel om en begon aan haar rekoefeningen. Toen bonsde er iemand op de deur.

'Hallo, zijn jullie klaar? Kan ik binnenkomen?'

'Ja, Vic, kom maar,' riepen de speelsters.

Gymleraar Victor kwam de kleedkamer in. 'Hé Isa, wat doe jij hier?'

'Ik kom spelen.'

In Victors ogen streden schrik en verbazing om de voorrang. 'O nee,' zei hij. 'Daar komt niks van in!'

'Het mag van mijn ouders, Vic. Zelfs mijn vader vindt het goed.'

'Zal best, maar van mij mag het niet. Ik vind het niet verantwoord. Kleed je maar weer om!'

Alle speelsters begonnen heftig te protesteren.

'Hallo, denk eens na,' zei Victor. 'Isa wordt binnenkort aan haar knie geopereerd. Weten jullie dat?'

'Natuurlijk weten we dat,' zei Debbie, 'maar ze kan toch invallen. Met haar klasse kan ze in een flits een wedstrijd beslissen.'

Victor schudde zijn hoofd.

'Met één voetbeweging kan ze de overwinning brengen,' hield Debbie aan. 'We hebben het hier wel over de spits van het Districtselftal.'

'Ik zal heel voorzichtig zijn,' bezwoer Isa. 'In de tuin hou ik ook wel eens een balletje hoog.'

'Daar heb je geen tegenstanders.'

'Ach toe, ik moet straks drie weken in het gips zitten. Drie weken! Laat me nu dan even...' Er verschenen tranen in Isa's ogen.

'Dit is geen gras, Ies, dit is een harde vloer.'

'Daar zitten tenminste geen kuilen in,' wierp Isa tegen.

Victor dacht even na. 'Goed, hou je voetbalkleren dan maar aan, maar ik beloof niets. Je komt naast me op de bank zitten.'

Drie wedstrijden lang zat Isa naast Victor op de bank. Beiden zagen dat het team niet al te best speelde, sterker nog, de meiden van de Anton Valens school raakten geen pepernoot. Alleen Debbie was goed en dat was niet zo raar, want de andere speelsters zaten niet eens op voetbal. Er werd één keer met 0-0 gelijk gespeeld en twee keer dik verloren. Isa zat zich op de bank te verbijten. Tijdens de duels had ze steeds aanwijzingen geschreeuwd, maar dat had dus weinig zin gehad. Nu begon de laatste wedstrijd. Isa draaide zich naar Victor. 'Ach toe,' smeekte ze. 'Mag ik... de laatste wedstrijd...'

Maar Victor gaf geen krimp. 'Nee, Ies, ik ben verantwoordelijk.'

'Moeten we dan verdorie laatste in de poule worden?'

'Maakt niet uit. Het is maar een spelletje.'

'Spelletje? We hebben nog geen goal gemaakt. Daar gaat de eer van de school.'

'Klets niet, Isa.'

'Dit is verdorie voetbal uit het stenen tijdperk!'

'Isa, hou op!'

Bij een 2-0 achterstand, met nog tien minuten te spelen, gebeurde het dan toch nog. Victor keek Isa aan. 'Vijf minuten voor tijd mag je invallen.'

Isa's hart maakte een huppeltje. 'Dank je, Vic.'

Victor zette zijn strengste gezicht op. 'Denk erom, jij doet geen gekke dingen anders haal ik je er direct uit.'

'Nee, nee, ik doe niet gek.'

'Mooi zo, heb je geen knieband?'

'Nee, dat is veel te strak.'

Victor keek naar Isa's knie en schudde zijn hoofd. 'Ik druk je nogmaals op het hart, Isa Laurier, doe voorzichtig!'

Isa knikte.

'Goed, ga je maar warm lopen.'

Isa huppelde langs de kant en rekte haar spieren. Haar ogen lieten de tijdklok niet los. Nog een seconde of veertig.

20, 19, 18, 17...

Isa ademde diep in en uit.

10, 9, 8, 7, 6...

Toen sprong de klok op 5.00 minuten.

'Aline!' riep Victor. 'Wissel!'

Isa rende het veld in met de houding van een winnaar. Haar kin priemde naar voren en haar voetstap was licht. Geweldig, wat een heerlijk gevoel! dacht ze, m'n knie voelt niet al te best, maar dat gaat niemand iets aan. Ik moet zo normaal mogelijk lopen en zo snel mogelijk de bal hebben. 'Deb!' riep ze. 'Hier!'

Prompt schoof Debbie haar de bal in de voeten. Isa's directe tegenstander gaf haar erg veel ruimte. Toch kaatste Isa de bal terug op Debbie, die snel een tegenstandster passeerde en de bal weer naar Isa schoof. Daar stond Isa, bal aan de voet, schuin voor het vijandelijk doel. Ze draaide haar hoofd in de richting van Debbie, keek haar vriendin strak aan en passte toen volkomen onverwachts op Michelle.

'Shit!' riepen twee verdedigsters tegelijk, want zij hadden weer een pass op Debbie verwacht. Michelle was vlak bij het doel een moment vrijgelaten en twijfelde niet. Droog en hard schoot ze de 2-1 in de touwen.

'Goeie pass, Ies!' gilde Debbie. 'Een pareltje!'

'Een schijnbeweging met je ogen,' riep Michelle, terwijl ze Isa omhelsde. 'Zoiets heb ik nog nooit gezien!'

'Goed zo, meiden!' riep Victor vanaf de bank. 'Ga door! Maak gelijk!'

Al meteen na de aftrap van de tegenstanders kwam Isa weer in balbezit. Wat zou haar knie nu doen? Zou hij gaan dwarsliggen? Of deed hij weer mee? Het bleek het laatste. Na een simpel een-tweetje met Debbie knalde Isa bijna spelenderwijs de 2-2 binnen, dwars door de benen van zowel een speelster als de keepster.

'Dubbele panna!' riep Debbie uitgelaten. 'Een briljantje!'

'Kijk eens, Deb,' zei Isa wijzend op haar bovenbenen, 'kippenvel!'

Met nog twintig seconden op de klok begon Isa aan een dribbel. Nu beslis ik de pot in m'n eentje, dacht ze, niemand houdt me daarvan af, zelfs Cruijff niet. Mijn knie staat in brand, maar het kan me niet schelen. Ze maakte een schijntrap, wipte de bal langs een been, over een voet, nog een voet.

'Isa!' probeerde Victor nog. 'Wat...'

Ze flitste langs een elleboog, langs een kuit, langs een knie. Haar gympen raakten de vloer niet meer en de bal leek te worden opgepoetst nu Isa hem zo lang aan haar voeten hield. Ja, ze liet de bal zo glanzen en fonkelen dat de hele zaal de adem inhield. Ineens was het doodstil in de sporthal.

PATS!

BOINK!

ZOEFFFF!

De stilte was aan stukken geschoten door een schot, waarin al Isa's pijn en woede waren gebundeld. Via paal en lat raasde de bal onhoudbaar in het doel.

'Isa!' schreeuwde Victor woedend. 'Ben je gek geworden?'

Als antwoord stak ze triomfantelijk haar vuist in de lucht.

Acht centimeter

'Dag knieschijf,' fluisterde Isa, 'daar ben je weer.' Ze lag plat op haar rug op de operatietafel en keek naar het beeldscherm.

'Wij medici noemen de knieschijf patella,' zei Erica Wiggers. 'Kijk eens hoe dik je kniepees is. Ik schat hem drie keer dikker dan normaal.'

De pees zag er pafferig en bleek uit. Hij deed Isa aan de schoolconciërge denken.

'Je kniepees verbindt je patella met je scheenbeen, en is dus een belangrijk onderdeel van het strekmechanisme van je knie.'

Isa knikte.

'Voor ik ga snijden vertel ik je wat er aan de hand is. Je hebt dus een ontsteking aan je kniepees. Zo'n ontsteking is een reactie van je pees op een schadelijke prikkel.'

'Weet je hoe die prikkel heet?' vroeg Isa met een zuur lachje.

'Eh... wat bedoel je?'

'Dokter Holtkamp, zo heet die schadelijke prikkel! M'n ouders hebben een klacht tegen hem ingediend.'

De ogen boven het mondkapje knipperden even. 'Nou,

de infectie is inderdaad veroorzaakt door bacteriën of virussen, heel kleine beestjes.'

'Ongelofelijk eigenlijk,' verzuchtte Isa, 'dat die bijna onzichtbare diertjes zo veel pijn kunnen veroorzaken.'

Erica knikte. 'Het operatiemes van Holtkamp was hoogstwaarschijnlijk geïnfecteerd door die beestjes, maar hij is daar niet verantwoordelijk voor. De operatieassistenten en andere mensen op de OK zijn daar verantwoordelijk voor.'

Een van de assistenten stak haar hand op. 'Ik ben bij deze operatie verantwoordelijk voor schone, steriele apparatuur, Isa.'

'O?'

Erica vervolgde haar uitleg. 'De reactie van je pees op de beestjes is dat de heel dunne bloedvaatjes zich verwijden en er dus meer bloed doorheen stroomt. Daardoor neemt het vocht in het weefsel van de pees toe. Daardoor zwelt de pees op. Hij wordt dik, warm en pijnlijk.'

'Ik begrijp het.'

'Goed zo, dan ga ik je nu opereren. Kijk maar mee. Ik vertel je wat ik zie en doe.'

Ademloos keek Isa naar de zilveren instrumenten die in beweging kwamen.

'Ik wil geen verstoppertje met je spelen,' zei Erica. 'In heel kleine deeltjes van de pees zie ik weefselnecrose.'

'Necrose?'

'Dat is een chique woord voor afsterven. Deze dode deeltjes roepen op hun beurt weer een ontstekingsreactie op en daarom duurt de pijn zo lang en voel je het zelfs met traplopen en fietsen.'

'Afsterven,' mompelde Isa met trillende lippen.

'Het dode peesweefsel is vervangen door littekenweefsel en heel kleine cysten, een soort met vocht gevulde bubbeltjes.'

'Klinkt griezelig.'

'Zo, nu ga ik het dode weefsel wegsnijden en het gezonde weefsel terug ophechten. Dat is een heel nauwkeurig werkje. Even niet praten.'

Erica was in vijftien minuten klaar. 'Het onderste uiteinde van de patella ziet er gelukkig goed uit. Daar hoef ik niks aan te doen. Nu nog even het weggesneden weefsel verwijderen met het zuigertje.'

Isa sloot haar ogen en riep in gedachten haar laatste doelpunt op. Het venijn in het schot had ook haar zelf verbaasd. Victor was vreselijk boos geweest, maar wat had het doelnet gezongen en wat hadden de speelsters gejubeld. Toch nog een wedstrijd gewonnen.

'Mooi, nu ben ik helemaal klaar.'

Op de recovery streelde Isa's moeder troostend haar dochters haren. Zachtjes spraken ze over de operatie en over dokter Holtkamp, die kennelijk minder schuldig was dan ze dachten. 'Trek die klacht maar in, mam.'

'Nee, nee, er is daar toch iets misgegaan en dankzij onze klacht kunnen ze de kwaliteit van operaties verbeteren. Zo moet je het zien.'

'Ja, dat is zo, maar ik wil er eigenlijk niks meer over horen, mam. Ik moet positief blijven. Ik moet vooruitkijken.'

'Je hebt gelijk. We hebben het er niet meer over. Ik...'

'Dag mevrouw Laurier!' Erica Wiggers verscheen aan het bed.

'O, dag dokter. Ik hoor net van Isa dat de operatie goed ging.'

Erica fronste. 'Nou, ik weet nog niet of de operatie echt geslaagd is.'

'Hoe... hoe bedoel je?' stotterde Isa.

'Ik weet niet hoe je knie reageert, niemand weet dat. Hij kan weer dik worden. Die kans hou je altijd. Ik schat het fifty-fifty.'

Isa was sprakeloos.

'Ondanks een operatie kan zo'n ontsteking chronisch worden.'

Isa's ogen werden vochtig en schoten schichtig heen en weer. 'Dat... dat is toch voor altijd.'

'Ja,' beaamde Erica.

Even was het onaangenaam stil.

'Je hebt echt tijd nodig om te herstellen. Als je te vroeg begint, raakt je pees meer en meer beschadigd. Snap je?'

Isa knikte.

'Straks krijg je gips van je lies tot je enkel. Dat wordt vast moeilijk voor je. Heb je andere hobby's dan voetbal?'

'Voetbal is geen hobby voor me,' siste Isa nijdig.

'O, sorry, dat vergat ik, maar heb je hobby's: lezen, puzzelen?'

Nukkig haalde Isa haar schouders op.

'Ze houdt van lezen over... eh voetbal,' zei Isa's moeder met een verontschuldigend glimlachje.

'Aha, nou goed, over drie weken mag het gips eraf en

kunnen we al beter zien hoe de operatie uitpakt.'

Isa glimlachte met op elkaar geklemde tanden. Ze vermeed Erica's blik en staarde naar de witte knopen op de doktersjas.

'Mevrouw Laurier, Isa heeft een verticale wond over haar kniepees van acht centimeter. Het is gelukkig een smal litteken en het is gelijmd, maar de wond kan gaan lekken en dat zal pijn doen.'

'O?' schrok Isa's moeder.

'Ik schrijf pijnstillers voor.'

'Ja, goed, pijnstillers.'

'Isa!' zei Erica toen op strenge toon. 'Kijk me eens aan!'

Isa bleef naar de knopen kijken.

'Maak daar alsjeblieft gebruik van als het nodig is. Hang alsjeblieft niet de harde tante uit.'

'Oké,' fluisterde ze voor zich uit.

'Goed zo!' Erica gaf Isa en haar moeder een hand en liep de zaal af.

Nu begonnen de tranen harder in Isa's ogen te prikken. 'Fifty-fifty,' kreunde ze zachtjes.

'Ach, lieve schat,' kreunde haar moeder mee.

Gipsschilderij

Met haar verfdoos onder de arm kwam Debbie die ochtend bij de familie Laurier om 'een kunstwerk van Isa's gipspoot' te maken. Isa mocht zelf een onderwerp kiezen en koos voor haar formidabele, laatste doelpunt.

'Ah, daar hoopte ik al op,' bekende Debbie. 'Kan ik eindelijk eens het steenrode hoofd van Victor vereeuwigen.'

Maar voordat ze met potlood op het gips begon te schetsen, praatten de vriendinnen ernstig met elkaar.

'Was het een zware operatie, Ies? Je bent zo bleek.'

'Dat viel wel mee, maar ik maak me zorgen. Er is grote kans dat mijn blessure chronisch wordt.'

'O?'

'Daardoor kan ik niet slapen, maar ook door dat rottige gips doe ik geen oog dicht. Ik heb nu slaappillen...'

'Shit!'

'... en pijnstillers.'

'Heavy shit!'

'Zeg dat wel.'

Debbie pakte een fijn potloodje uit haar verfdoos. 'Je moet wel positief blijven denken, Ies, zoals die coach zei.'

'Ik probeer het, maar het wordt steeds moeilijker. Trouwens, ik word gek van dat denken. Ik heb nog nooit zoveel nagedacht als nu.'

'O?'

'Tja, eerder had ik niet zoveel om over na te denken, denk ik.'

Debbie, potlood in de aanslag, schoot in de lach. 'Nou goed, daarom ben ik hier, grote denker, om je op te vrolijken. Mag ik?'

'Graag!'

Debbie zette de punt op het gips. 'Ah, lekker dik. Dat tekent fijn.'

'Over drie weken krijg ik loopgips.'

'O, maar dan moet je dit gips niet weggooien, hoor. Door mijn schildering wordt het geld waard!'

'Natuurlijk gooi ik het niet weg, gek! Ik hang het op aan de muur, naast mijn shirt.'

'Ah, mooi zo.'

'Hoe is het eigenlijk met m'n hoofd op het schoolplein?'

'Weggespoeld door de regen, maar dit wordt veel mooier.'

'Nog reacties op de foto?'

'Nee, niks. Volgens mij horen we nooit meer iets over de Boze Wolf, Ies. Zo gaat dat met zwervers. Ze zwerven over de wereld.'

'Tja, misschien heb je wel gelijk.'

Debbie tekende eerst een door de lucht suizende bal. 'Je hebt nog nooit zo hard geschoten, Ies. Het klonk ook als een pistoolschot.'

'Het was met rechts. Met die gare linker had ik zoiets nooit gepresteerd.'

'Dubbele panna, ook uniek.'

'Schilder dat ook maar, ja, maak er een stripverhaal van!'

Debbie schoot overeind. 'Goed idee! Dan kan ik je hele gipspoot gebruiken!'

Er viel een stilte in de kamer waarin alleen het geluid van het schetsende potlood te horen was. Toen Debbie met acrylverf aan de slag ging, verscheen het puntje van haar tong uit haar knalroze gestifte mond. Zelf had ze dat niet in de gaten, omdat ze zichzelf helemaal verloor in haar schilderwerk. Plots, uit het niets, zo leek het, verbrak Isa de stilte.

'Deb?'

'Ja.'

'Ik heb zitten denken en ik heb voor mezelf op een rijtje gezet wat ik wil. Ik wil iets groots doen. Ik wil in Oranje onder 15, ik wil op topniveau spelen en over vier jaar in Amerika voetballen. Dát wil ik!'

Veel later, halverwege het gipsen stripverhaal, kwam Isa's vader de huiskamer binnen. De banketbakkerssuiker kleefde aan z'n schort. 'Hoi Debbie, fijn dat je er bent.'

Stilte.

'Eh... dag Debbie!'

'O, dag meneer Laurier, sorry hoor, ik was zo verdiept in m'n schilderij.'

'Geeft niet, als banketbakker herken ik dat natuurlijk.'

'Ja, ja, dat zal wel,' mompelde Isa op geïrriteerde toon, terwijl ze expres van haar vader wegkeek.

Er viel een stilte die een beetje pijnlijk was.

'Wanneer maakt u weer zo'n soesjestoren?' vroeg Debbie
om maar iets te zeggen.

Isa's vader glimlachte. 'Ik ben je record nog niet vergeten, maar over een poosje zal ik je eens iets anders presente-

ren, iets wat je nog nooit eerder hebt geproefd, iets unieks!'

'O, wat spannend!'

'In het nieuwe jaar, in januari, gaat het gebeuren.'

'Aha.'

'Ze heet Isadotje, een bonbon die…'

'Ja, pap, dat weten we nu wel.' Zelden klonk Isa's stem zo bits.

'Oké, oké, rustig maar.'

'Laat ons met rust.'

'Ja, ja, ik ben alweer weg. Eh… dag Debbie.'

'Dag meneer Laurier.'

Isa's vader sloop weg en deed de deur heel zachtjes dicht, waarbij hij keek alsof hij de afdruk van een duim op de taart-gelei ontdekte.

'Ik word gek van dat gezeur over z'n Isadotje,' klaagde Isa. 'Die bonbon is voor hem belangrijker dan m'n knie.'

'Dat geloof ik niet. Hij is net als jij, fanatiek in z'n ding.'

'Mmh,' bromde Isa. 'Ik weet het niet, ik…'

Debbie stak haar kwast als stopteken in de lucht. 'Ho! Je moet zulke negatieve gedachten niet toelaten. Kijk liever naar die kop van Victor.'

Isa hief haar gipsbeen iets omhoog en schoot in de lach. 'Jeetje, wat lijkt hij goed. Zo rood als een indiaan en dan die tanden en die neus!'

Drie weken later hing het gipsschilderij naast het shirt aan de muur, bevestigd aan twee haakjes. Isa had nu loopgips en ging op krukken naar school. Debbie droeg haar tas en Isa gebruikte de lift en soms ook – zeer tegen haar zin – het invalidentoilet. Eén keertje probeerde ze in de schoolgang op haar geopereerde been te steunen, maar dat deed heel veel pijn. Shit, ik moet geduld hebben, dacht Isa toen, ik moet strenger voor mezelf zijn. Ze deed dus goed haar best, maar op een maandagochtend ging het toch mis. Haar linkervoet was blauw en de tenen van diezelfde voet waren opgezwollen, het waren een soort worstteentjes geworden. Zo omschreef Isa ze over de telefoon aan Erica Wiggers. Zat het nieuwe gips soms te strak?

'Mijn enkel voelt ook superdik,' zei Isa. 'Ik heb ook pijn in mijn kuit en de wondjes voel ik ook.'

'Kom meteen naar het ziekenhuis,' zei Erica kortaf. 'Meteen!'

Een halfuur later lag Isa op de behandeltafel. Het loopgips was verwijderd. Erica bestudeerde het gezwollen been en haar zwijgen maakte Isa bloednerveus.

'Ik heb niet op mijn been gesteund, Erica, want ik weet dat mijn beenspieren slap zijn en dat dan alles afscheurt,' ratelde ze. 'Met Carlo ga ik straks rustig de training opbouwen en dan ben ik in de komende zomer klaar voor het nieuwe seizoen. Ik...'

'Voelt je voet koud? Diep vanbinnen.'

'Ja, maar soms ook warm.'

Erica bevoelde Isa's been van het puntje van haar tenen tot haar lies.

'Op school, op de voetbal en op verjaardagen beginnen ze steeds weer over die knie.'

'Ja, ja, vervelend.'

'Zelfs mijn Sinterklaasgedicht ging erover. Ik heb het nu

al een miljoen keer verteld. Ik ben het spuugzat, Erica.'

De arts zweeg.

'Straks wil ik weer beginnen met grondoefeningen en dan een beetje ballen met Debbie en onze keeper warm schieten. Natuurlijk maak ik weer een kalender met mijn oefeningen en hou ik me daar aan, ook… ook al is het moeilijk.'

Erica glimlachte even naar Isa.

'In mijn voeten lijkt een magneet te zitten die de bal aantrekt. Mijn hoofd wil wel stoppen met die bal, maar mijn lichaam moet een bal hebben.'

In Erica's glimlach verscheen een barst. 'Je hebt toch niet gevoetbald?'

'Natuurlijk niet! Ik heb een record aantal dagen de bal niet aangeraakt. Mijn moeder heeft hem in de schuur gelegd, achter slot en grendel.'

'Heb je nog veel pijn, ook nu zo zonder gips.'

Isa knikte. 'Het voelt…' begon ze aarzelend.

'Ja, hoe voelt het?'

'… alsof iemand er met een mes in steekt.'

Erica knikte met een ernstig gezicht. 'Ik ga er vaart achter zetten. Ik geef je straks een verdovingsprik en dan kun je meteen naar de afdeling nucleaire geneeskunde voor een botscan. Ik zet je ertussen.'

'Weer de tunnel in?'

'Ja, maar nu krijg je een prik met radioactieve vloeistof en kunnen we dwars door je botten heen kijken. Dan kan ik zien of je knieschijf soms het probleem is.'

'De patella.'

'Ja, heel goed, de patella.'

Later op de middag bleek de botscan negatief, wat betekende dat de knieschijf het probleem niet was. Maar wat was dan wel het probleem? Was de pees weer ontstoken? Isa mocht naar huis met nieuw loopgips en ze moest in een schrift alles bijhouden wat ze voelde en deed. Al de volgende ochtend volgde een MRI-scan, haar derde, waaruit bleek dat het kraakbeen in de knie, de smeerolie, voor een flink deel verdwenen was.

'Helaas,' zei Erica, 'komt kraakbeen niet terug, Isa. Dat is een probleem, maar eigenlijk kunnen we het op de beelden niet goed zien. Daarom stel ik voor om...'

Isa's ogen werden groot van schrik.

'...om nog een kijkoperatie te doen.'

Het brein van Cruijff

Isa wilde dit keer geen ruggenprik. Ze wilde niet meer in haar knie kijken, nooit meer. Ze koos voor een algehele verdoving.

'Heel verstandig, schat,' zei haar moeder. 'Je hebt al genoeg meegemaakt.'

Isa's vader hield z'n kaken op elkaar, want in de aanloop naar de operatie hing er een grote spanning in huis. Isa had black-outs tijdens proefwerken op school, at bijna niets van de zenuwen en moest toch elke avond overgeven. Ook reageerde ze heel driftig op alles wat haar vader zei. Ze beweerde zelfs dat hij blij met haar blessure was. 'Je hoopt natuurlijk dat ik geen prof word!' gilde ze door de bakkerij. 'Nou, denk maar niet dat ik banketbakker word. M'n knie zal genezen! Ik word prof! Ik ga naar Amerika! Naar Amerika, ja! Barst jij maar met je gevulde koeken!'

'Dat is niet waar, Ies,' reageerde haar vader met een ongelukkig gezicht. 'Ik gun je alles. Ik wil dat je gelukkig wordt. Dáár gaat het om!'

'Zo is het,' deed Lucas nog een duit in het zakje. 'Kom op, Ies. Je...'

Maar Isa wilde niet meer luisteren. Woedend schopte ze tegen de rekken met appeltaarten.

De operatie vond plaats op een koude decemberdag en duurde drie kwartier. Erica Wiggers verwijderde een stukje van Isa's voorste kruisband, maakte de restanten van het kraakbeen recht en schraapte littekenweefsel weg. Toen Isa uit haar narcose ontwaakte, zag ze haar moeder en Erica aan haar bed staan.

'Zo, schat, daar ben je weer!' zei haar moeder opgelucht. Ze kuste Isa op haar wang. 'Hoe voel je je?'

'Goed,' was het antwoord.

'Niet misselijk?'

'Nee, prima.' Isa draaide haar hoofd naar Erica . 'En?'

'Ik heb je knie schoongemaakt.'

'Schoon? Was het dan erg vies?'

'Nee, nee, dat viel wel mee, hoor.'

'Hoe is m'n kraakbeen?'

'Stabiel.'

'Dat is goed nieuws, toch?' Isa keek Erica hoopvol aan.

'Eh ja, eigenlijk wel.'

Later op de middag werd Isa van haar lies tot haar enkel in verband gewikkeld en naar huis gebracht. Daar slikte ze aanvankelijk zes paracetamollen per dag om de pijn te bestrijden, maar dat bleek niet genoeg. Daarom volgde op advies van huisarts Gerben een kuur diclofenac, een sterkere pijnstiller. Door dit middel begon Isa merkwaardig en heftig te dromen.

Eerst schotelden de koortsfantasieën haar het beeld voor van dokter Holtkamp en Morris. 'Wat vind jij nou van die Giecheltrien?' vroeg de dokter.

'Tsjielp, tsjielp, tsjielp, tsjielp,' antwoordde de zwerver, 'tsjielp, tsjielp.'

Vervolgens kwam er in Isa's droom een engel langs, zo van de doellat gevlogen, die zijn vleugel langs haar knie streek om haar te genezen. Het mislukte. 'Shit!' mopperde de engel. 'Te weinig kraakbeen, dat moet mij weer overkomen.' Met stumperige vleugelslagen vloog hij terug naar het doel, miste de lat en landde met een klap in de bosjes. De ogen van de engel waren helder en lichtgevend blauw.

Het volgende droombeeld was een kamer, waarin een machine stond die er onbeschrijflijk vreemd uitzag. De machine bestond uit lenzen, messen, scheenbeschermers, cornervlaggen, stukken spiegel, schoenveters, enzovoorts. Deze machine zoemde, vonkte en siste. De kamer trilde ervan. En Isa ook. Ze voelde een angstige spanning.

'Ja, het doet natuurlijk wel een beetje pijn,' hoorde ze ineens iemand zeggen. 'Dat is onvermijdelijk.'

Er schoof een man in beeld. Was het Carlo? 'Ik ben een medisch helderziende, mevrouw Lauriera, en ik zeg u: het kwaad in uw knie laat zich heus niet vangen met een mesje in een chirurgenhand, nee, daar is deze machine voor nodig.' Hij wees op het knotsgekke apparaat. 'Gaat u daar maar liggen, in die opening!'

Isa rende hard weg en kwam terecht in de krioelende poten van miljarden beestjes die in haar knie rond woelden en daar alles kapot maakten. Maar ineens was daar Johan Cruijff, zeker vier meter lang en met benen van glas. Achter het glas zag Isa hersenen schitteren, het brein dat het voetbal opnieuw had uitgevonden.

'Ga weg!' zei Cruijff heel eenvoudig tegen de bacteriën, virussen of wat het ook waren. En ze gingen weg.

Verlosser Cruijff was nog niet verdwenen of het viel Isa op dat haar knieën steeds dikker werden, wanstaltig dik, kogelrond. Haar knieën ploften met een zucht open en er kwamen beentjes uit die verschrikkelijk snel groeiden. Voordat ze het wist had ze vier benen. Uit haar gloednieuwe knieën groeiden weer twee nieuwe benen en zo had Isa er ineens zes! Toen begon het ook nog eens roze en blauwe ballen uit de lucht te regenen. Met haar halve dozijn voeten ving ze er zes tegelijk op, drie blauwe en drie roze, en hield ze jonglerend in de lucht. De zes ballen vormden een draaiende blauw-roze cirkel aan de sterrenhemel, want de avond was reeds gevallen. Het beeld vervaagde en plots stond Isa op een fraai geschoren voetbalveld, gehuld in oranje, de bal aan de voet.

'Ies!' hoorde ze roepen.

Voor het doel stond Debbie te zwaaien. 'Ies, voorzetje!'

'Waar wil je hem hebben?'

'Op m'n hoofd natuurlijk!'

'Jij, op je hoofd? Met die sui...'

'Zeur niet. Ik wil hem op m'n kop. Het is toch kópbal!'

Isa schoot de bal hard en hoog voor het doel. Debbie dook als een havik naar de bal en kopte hem loepzuiver in de kruising, waarna als een waterval een enorme hoeveelheid blond haar over haar schouders tuimelde. Tegelijk vlogen er acht haarspelden uit haar kapsel, die zich stuk voor stuk in Isa's wrakke knie boorden.

'Stukje acupunctuur, Ies,' riep Debbie. 'Helpt het?'

Kersttaart

De dagen voor Kerstmis waren donkerder dan normaal, maar die twintigste december werd voor Isa een pikzwarte dag. Samen met haar moeder meldde ze zich die ochtend in het kantoor van Erica Wiggers.

'Zo,' zei Erica. 'Hoe is het?'

'Slecht,' zei Isa. 'Die knie voelt superinstabiel.'

'Heb je nog pijn?'

'Een beetje. Af en toe neem ik een paracetamol.'

'Je bent gestopt met diclofenac?'

'Gelukkig wel,' zei Isa's moeder. 'Ies droomde er verschrikkelijk van. In haar slaap lag ze maar te zuchten en te snikken.'

Isa sloeg beschaamd haar ogen neer.

'Ach zo,' zei de arts, 'ja, ja.'

'Ze heeft ook weinig eetlust, dokter, van de spanning. Haar broek zakt van haar billen.'

'Juist.' Erica schoof haar stoel achteruit. 'Nou, Isa, kleed je maar uit en kom op de behandeltafel liggen.'

Isa's knie was bezaaid met blauwe en gele plekken. Haar beenspieren voelden als een grote pudding, want fysiotherapie was voorlopig verboden. Isa wist dat er écht iets mis was, maar toch schoot er op bijna elk tijdstip van de dag hoop door haar hart. Het zou wel goed komen, net als in de film, zeker weten.

De vingers van Erica voelden koel aan op haar bloedhete knie, als een zeebriesje in de zomer.

'De zwelling is weg.'

'Maar het voelt alsof ik er zo doorheen kan zakken.'

Erica mompelde iets onverstaanbaars. Toen keek ze de patiënt recht in de ogen. 'Isa.'

De arts zei haar naam op een toon die Isa raakte. In Erica's stem leek een draad gesprongen. Toen pas besefte ze dat Erica ook gespannen was. Waarom?

'Je hebt last van ernstige slijtage in je knie.' Erica schraapte haar keel. 'Het kraakbeen is… eh minimaal aanwezig.'

'Maar het was stabiel,' riep Isa verontwaardigd. 'Dat zei je zelf, stabiel!'

Erica knikte. 'Het is stabiel, maar te weinig. Kraakbeen beschermt je knie tegen artrose. Je weet wat artrose is?'

Isa gaf geen antwoord. Ze glimlachte op haar allerbreedst in een poging om het noodlot af te wenden.

'Dat is bot-op-botpijn. Dan is er geen smeermiddel meer tussen je botten en dat doet dus… eh… pijn.'

De stilte in het kantoor was nu om te snijden.

'Je bent een jonge meid, maar je knie is bij wijze van spreken zeventig jaar oud. We meten slijtage van kraakbeen op een schaal van één tot vijf. Bij één is het perfect, bij vijf is het erg slecht. Jij zit op een dikke vier.'

Isa's keel schroefde zich dicht. Ze kon niets uitbrengen. Toen zei Erica zo luchthartig als ze maar kon: 'Ik wilde het je pas vertellen na overleg met andere artsen. Zij zijn het allemaal met me eens, dat het beter is als je stopt met voetballen. Op hoog niveau sporten is sowieso uitgesloten.'

Na deze woorden sprong Isa's moeder op van haar stoel en liep snel naar de behandeltafel. Daar hield ze de bevende schouders van Isa vast. Isa reikte met een verkrampte hand naar Erica. 'Ik...' bracht ze uit. 'Ik wil... ik wil wel naar het andere eind van... van de we-we-wereld voor genezing.'

'Ook daar is geen oplossing, Isa.'

'Maar Ruu-Ruud van Nistelrooy...'

'Geloof me, zijn knie is er minder ernstig aan toe dan de jouwe, en jij bent veel jonger. Jouw knie moet veel langer mee.'

Het kantoortje vulde zich met Isa's gesnik.

'Je mag natuurlijk wel gewoon af en toe een balletje trappen,' troostte Erica. 'Als je knie weer wat beter is. Dat kun je blijven doen, hoor.'

Tijdens het kerstdiner zat de familie Laurier rond de tafel in de woonkamer. Het gezicht van Isa stond strak. Van de kalkoen had ze nauwelijks gegeten en haar scheutje glühwein was koud geworden in haar glas. Midden op de tafel stond nu het dessert, een kersttaart versierd met marsepeinen rendieren. Isa's vader gaf uitleg, maar dat deed hij dit keer heel ingetogen. 'Een bodem van bros zanddeeg, dames, en op de top een raster van amandelbitterkoekjesspijs. De vulling is deels van room en abrikozengelei en ik heb het geheel afgepoederd met poedersuiker en kaneel.'

'Het ziet er heel mooi uit, Daan.'

'Dank je, schat.'

Isa zei geen woord. Ze keurde de taart geen blik waardig.

'Eh... Ies.'

Isa keek haar vader scherp aan. 'Ja?'

'Wil je een stukje banketpret?'

Ze schudde heel beslist haar hoofd. 'Nee, geen trek.'

'Weet je het zeker? Ik...'

'Ik zeg verdomme toch nee!' In Isa's stem trilde een grote razernij.

'Oké, oké, rustig maar.'

'Kom op, Ies,' zei haar moeder. 'Doe alsjeblieft gewoon.'

Het bonzen en gloeien van Isa's knie leek over te slaan op haar hoofd. Achter haar ogen bouwde zich een lawine aan tranen op.

'Ja,' zei Daan Laurier. 'Kop op, Isadotje. Je...'

Plots schoot Isa van haar stoel omhoog alsof ze gelanceerd werd. Ze boog zich over tafel en sloeg met een gebalde vuist boven op de taart.

SPLAT!

'Daar heb je je Isadotje!' brulde ze.

Isa's moeder gilde, de room spoot alle kanten op en wolken poedersuiker daalden langzaam op het treurige gezelschap neer.

De begrafenis

De weken regen zich aaneen. Het was alweer februari. Isa lag ruggelings op bed te peinzen. Ze begon nu pas te beseffen, dat ze de macht over haar lichaam voorgoed kwijt was. M'n linkerbeen loopt anders, dacht ze, alsof het m'n eigen been niet meer is! Ook was haar nu duidelijk dat ze nooit meer naar vroeger terug kon, naar de tijd van voor de littekens. Nee, ik word nooit meer de oude, dacht ze, ik zal nooit m'n top kunnen halen, nooit zal ik meer wereldspits zijn, nooit zal ik iets groots doen.

Het weer was al even somber als Isa's gedachten. De lucht klaarde maar niet op. Het begon weer te regenen en het water spoelde onophoudelijk door de dakgoten en tegen de ruiten. Uur na uur verstreek. Isa lag al die tijd roerloos op bed, totdat ze besloot het raam op een kier te zetten. Vanaf het bed staarde ze vervolgens naar de gordijnen, die opbolden in de wind. Met de wind dreef ook de geur van vochtig gras naar binnen, een geur die alles in zich draagt wat mooi is aan voetbal. Deze geur maakte Isa wanhopig en wat volgde was dan ook een wanhoopsactie. Ze rukte met één beweging haar shirt van de muur en snotterde: 'Isa Lauriera is dood, hartstikke dood!'

Na deze woorden hinkte ze de trap af, met het shirt in haar gebalde vuist. Ze stormde de tuin in, opende de schuurdeur en pakte de schep. Vlak bij het doeltje groef ze in de stromende regen een kuil. Ze gaf het shirt een kus, wierp het in de kuil en gooide hem dicht. Daarna kroop ze op haar kamer in drijfnatte kleren achter de computer. 'Dat was het dan,' zei ze tegen het beeldscherm. 'Isa Lauriera is doodgeschopt, ik ben er klaar mee.' Zonder goed te begrijpen waarom, bekeek ze eindelijk weer eens voetbalfilmpjes op YouTube en na enige aarzeling surfte ze zelfs voor het eerst naar de website van het Districtselftal. Ze las met tranen in haar ogen over het door het team gewonnen toernooi in België, waarbij spits Claudia Smit topscorer was geworden met vijf treffers. Assistent-coach Laura Coster omschreef Claudia als 'een echte teamspeelster met een grote toekomst'. Isa las er over de komende wedstrijden en het toernooi in Noorwegen. Er was ook, stond er, gelegenheid voor de meiden om te shoppen in Oslo en…

Nu werd het Isa te veel. Ze klikte snel verder en deed toen een verbijsterende ontdekking. Ze was toevallig bij het Districtselftal van de jongens tot veertien terechtgekomen en daar haakte haar blik zich vast aan de elftalfoto, of beter gezegd, aan de jongen op de achterste rij in het midden. Mike Steiger – zo heette hij volgens het onderschrift – had de mouwen van z'n shirt stoer opgerold en z'n ogen stonden flets in z'n engelengezicht.

Mike de voorstopper! In het Districtselftal!

Het kán niet waar zijn, dacht Isa. Het mág niet waar zijn!

Maar het was wel waar.

Isa stikte bijna van woede. Het was alsof er ineens een smerige fabrieksschoorsteen in haar kamer stond te roken, zo benauwd kreeg ze het. Vloekend smeet ze haar krukken door de kamer en met volle kracht ramde ze haar gipspoot van de muur. Door deze acties raakte ze de eerste agressie kwijt. Maar wat nu? Hoe verder?

'Ik moet rustig blijven,' zei ze toen hardop tegen zichzelf. 'Rustig. Ik moet verdorie rústig blijven!'

Met trillende ledematen ging Isa weer achter de computer zitten om alles aan de weet te komen over Mike Steiger. Hij voetbalde bij AFC in de C1, maar dat wist ze al. Hij had geen Hyves-pagina en ook op Facebook en MSN was er niks te vinden. Toen herinnerde ze zich ineens de naam 'Mike the Strike'. Ja, dat riep de laatste man vol vreugde tegen zijn voorstopper: Mike the Strike is back! Isa's vingers ratelden steeds bozer over het toetsenbord. Ze tikte de bijnaam in op Google en kwam via diverse links op een weblog met de naam Mooiboys terecht. Daar vond ze inderdaad bijdragen van een Mike the Strike, maar was dit háár Mike Steiger? Ja, dat was zeker, want bij de datum 1 oktober vond ze de volgende tekst: *Gisteren tegen wijven gespeeld. Ik blijf erbij: wijvenvoetbal is zonde van het gras. Bitch met grote bek d'r knieschijf op haar rug getrapt. Heerlijk!*

Na deze ontdekking liep Isa dagenlang verdwaasd rond. Thuis en op school was ze in haar hoofd steeds vaker afwezig, omdat ze werd beheerst door maar één enkele gedachte, één gevoel: wraak. Deze wraakzucht gunde haar geen seconde rust. In Isa's hoofd was een storm van haat en verbittering losgebarsten die in niets was te vergelijken met haar wrok jegens dokter Holtkamp. Haar bloeddorstige fantasieën waren niet meer te tellen. Isa sprak er met niemand over, zelfs niet met Debbie, maar haar gedrag en slechte cijfers begonnen steeds meer op te vallen. Op een zaterdagmiddag kwam haar moeder op haar kamer. Isa wist meteen dat het mis was, want ze had iets stijfs in haar houding, net als die keer toen ze kwam vertellen dat oma overleden was.

'Ik moet eens ernstig met je praten, Ies,' begon ze.

'Oké.'

'Je bent de laatste tijd werkelijk niet te genieten. Ik ken je gewoon niet meer.' Ze maakte een machteloos gebaar met haar handen. 'Het is alsof we met een onbekende aan tafel zitten.'

Isa trok haar wenkbrauwen op. Meer niet.

'Debbie vindt je ook raar stil.'

Een adertje zwol op bij Isa's linkerslaap.

'Dit wordt toch echt te gek.'

Isa dacht aan Debbie. 'Een euro voor je gedachten, Ies,' zei ze laatst. Maar nee, voor nog geen miljoen euro wilde Isa haar vertellen over haar haat en wraakgevoelens. Debbie zou haar knettergek vinden. Gestoord!

Isa nam een stoere houding aan. 'Ja, en?'

Haar moeder keek haar recht aan. 'Misschien moet je naar de psycholoog. Op school... nou ja, de directeur vindt van wel. Hij belde.'

Waar bemoeit die zak zich mee? dacht Isa. Het is toch mijn leven!

'Hoe... hoe denk jij er zelf over?' stotterde Isa's moeder.

Willen ze na al dat gewroet in m'n knie, dacht Isa, nu ook nog eens gaan wroeten in m'n hoofd? Shit, wie weet wat daar allemaal rondspookt? Die allesbeheersende wraakzucht, was dat normaal? Nee, natuurlijk niet! Isa schaamde zich dood, wat haar nog kwader op Mike Steiger maakte. Praten met een psycholoog? Nee, ze wilde niet dat anderen dichterbij kwamen. 'Nee, mam,' zei Isa hardop, 'dat is niet nodig, echt niet.'

'Weet je het zeker?'

Isa trok snel haar vrolijkste gezicht. 'Zeker weten, mam. Ik ga mijn best doen. Ik zal niet meer op taarten slaan en ik ga weer huiswerk maken.'

Isa's moeder was een beetje wantrouwig over deze plotse omslag, maar ze was toch vooral enorm opgelucht. 'Godzijdank, Ies. Papa en ik vinden zo'n psycholoog ook niks, maar de directeur… Nou ja, ik ga het papa vertellen.'

Ik moet hem vernederen, dacht Isa een seconde na het gesprek met haar moeder, ik moet hem op z'n knieën dwingen, zijn droom moet ook kapot! Oog om oog, tand om tand, knie om knie. Ja, knie om knie! Ineens dacht ze aan wat ze in het schuurtje had gezien. Naast de schep stond haar vaders gereedschapskist en op die kist had een klauwhamer gelegen. 'Knie om knie,' mompelde Isa en ze zag glashelder voor zich hoe ze de hamer op de knie van Mike liet neerdalen. Knal! Een keiharde klap en het was klaar. Zo simpel was het. Dit hoefde geen fantasie te blijven. Dit was een goed uit te voeren idee!

Heel even twijfelde ze. Moest ze verdergaan met dit gevaarlijke plan? Ja, natuurlijk moest ze verdergaan! Wat wilde ze anders? Blijven rondlopen met die loodzware steen op haar maag? Moest ze soms machteloos toezien hoe de verwoester van haar dromen háár droom waarmaakte? Met z'n walgelijke knieschijf op haar rug geschopt. Nee, nooit, verdomme, nóóit! Haar woede smoorde alle twijfels en Isa liep daadwerkelijk naar de schuur om de hamer op te halen. Al haar bewegingen waren zeker en resoluut. Even later lag het gereedschap op het tafelblad van haar bureau. Ze streelde het staal en trilde van de energie, want ze had nooit gedacht, ondanks alle plannenmakerij in haar hoofd, dat ze het echt zou doen. Ja, ze zou het echt gaan doen!

Mike

Het regende en donkere wolken hingen voor de maan. Op het lange tegelpad naar de kantine van voetbalvereniging AFC kwam een jongen met een sporttas Isa tegemoet. Toen ze elkaar passeerden keek hij haar indringend aan. Shit, dacht Isa, waarom deed hij dat? Zag ze er zo wraakzuchtig uit? Of juist zo sloom? Kon hij soms zien dat ze doodop van de zenuwen was? Ai, hoe lang zou hij zich haar gezicht herinneren? Hij had haar ongewoon scherp aangekeken en in haar hoofd hoorde Isa het verhoor door de politie al.

Jongeman, kijk nog eens goed naar de foto van dit meisje. En denk goed na. Het gaat om zware mishandeling!

Uit alle macht probeerde Isa deze gedachte te onderdrukken. Het was allemaal onzin. Die gast zag heus niks bijzonders aan haar. Ze moest gewoon door! Nu! Dóór!

Het makkelijkste deel van Isa's missie lag achter haar. Van het internet had ze een plattegrond van de omgeving van AFC gehaald. En via het weblog Mooiboys wist ze uit te vinden, dat de jongens van de C1 op maandag- en donderdagavond trainden van zeven tot acht. Deze donderdagavond was Isa met trein en tram van Haarlem naar Amsterdam-

Zuid gereisd. Daar leidde de plattegrond haar naar de Boelelaan, waaraan de velden van AFC lagen. Bij het toegangshek had ze vervolgens vanachter een bosje staan posten, totdat er jongens op fietsen waren verschenen. In een van de fietsers herkende ze meteen Mike en vanaf dat moment was er op haar gezicht een uitdrukking van walging en vastberadenheid verschenen. Het was dáárom dat de jongen met de sporttas zo naar Isa had gestaard.

Druk gebarend waren Mike en z'n makkers het tegelpad naar de kantine opgelopen, nadat ze eerst hun fietsen met kettingsloten aan het hek hadden vastgemaakt. In Isa's hoofd was het onmiddellijk een drukte van belang geworden. Hoe nu verder? Als Mike na de training weer in gezelschap van anderen zou zijn, besliste ze, zou ze de aanslag tot maandagavond moeten uitstellen en weer een andere smoes voor haar ouders moeten verzinnen. Isa had precies bedacht waar ze het zou doen, hier bij het hek, tussen de fietsenrekken. Ze zou toeslaan op het moment dat Mike op z'n fiets stapte. Met de fiets tussen zijn benen zou hij op z'n kwetsbaarst zijn. Toch begon ze nu weer te twijfelen. Ze voelde zich ook zo verrekte sloom. Op station Haarlem had ze eerder die avond een blikje Redbull achterover geklokt, maar dat had haar niet wakkerder gemaakt.

'Shit, doe niet zo schijterig!' beet ze zichzelf zachtjes toe en ze gaf een klap op haar knie om haar woede op te zwepen. De pijn bracht tranen in haar ogen. Verdomme, dacht ze, ik wil gewoon rechtvaardige wraak: knie om knie, niets meer en niets minder! Is dat zo gek? Ze liep het tegelpad op, maar al halverwege keerde ze terug naar de fietsenrekken. De lichtmasten bij het trainingsveld beschenen kantine en kleedkamers en licht kon ze niet gebruiken; donker moest het zijn, liefst zo donker mogelijk. De duisternis zou haar daad en vlucht moeten dekken.

Isa stak haar hand diep in haar jaszak. Het metaal van de hamer voelde ijskoud aan en maakte haar kalmer. Ze leunde tegen het hek en luisterde naar de al te bekende geluiden in de verte: de geschreeuwde aanwijzingen van een trainer en het geluid van ballen die een trap krijgen. Ze spande de spieren van haar linkerbovenbeen aan, een oefening die z'n vruchten begon af te werpen. Nee, haar been was geen pudding meer. Onrustig en snel werkte ze een hele set aan oefeningen af. Daarna liep ze over het trottoir in de richting van de benzinepomp. Isa telde haar passen: een, twee, drie, tot honderd, en terug. Met elke pas groeide haar opwinding. Toen de geluiden in de verte verstomden keek ze meteen op haar horloge. Acht uur. Nu was de training afgelopen. 'Nog even geduld,' mompelde ze voor zich uit. 'Patientia.' Nog geen kwartier later kwamen er groepjes jongens door het hek met fris gedouchte koppen. Ze pakten hun fietsen en reden weg. Ieder moment kon hij komen, maar hij kwam niet.

Wáár was Mike? Zaten zijn veters in de knoop? Plakte hij er nog een training aan vast? Hield hij een cooling down van een uur? Vond hij de warme douche zo lekker? Had hij een gesprek met de trainer over zijn toekomst bij Oranje onder 15? Kreeg hij soms een profcontract? Hij wel! Of voelde Mike the Strike soms haarfijn aan dat hij zojuist zijn laatste bal geraakt had? Voelde hij dat zij op hem wachtte, dat er ook aan zijn gedroomde carrière een eind kwam? Verschanste hij zich daarom in de kleedkamer? Wist hij van de bitch met de hamer? Dit alles ging als een bliksemflits door haar hoofd.

Het begon harder te regenen en Isa werd weer onrustig. Moest ze het wel doen? Misschien moest ze...

Shit, daar was hij! Alleen. Aan zijn ogen zag Isa meteen dat hij haar herkende en dat hij wist dat ze voor hem kwam. Mike Steiger ontweek haar blik en liep met versnelde pas naar zijn fiets. Hij zette zijn voetbaltas op de grond en greep in zijn broekzak naar z'n fietssleutel. Isa zag zijn handen trillen. Nu pas begreep ze de indringende blik van de jongen met de sporttas. Er ging kennelijk dreiging van haar uit. Mike voelde, nee, wist dat zij hem kwaad wilde doen.

Mike maakte met enige moeite zijn kettingslot vast aan zijn fiets. Hij bukte zich en greep het hengsel van z'n tas.

'Dag Mike!'

Nu keek hij schielijk op en deed of hij Isa voor het eerst zag. 'Ja, wat is er?' Zijn stem klonk rustig, gemaakt rustig.

Isa stapte op hem af. Haar hart leek op hol te zijn geslagen, leek zich te bewegen in haar hele lichaam, maar bonkte toch vooral in haar keel en knie. 'Ken je me niet meer? De nummer tien. De trut. De bitch.'

Mike gaf geen antwoord. Hij zwaaide zijn been over het zadel en zette zijn tas voor zich op het stuur. Isa ging pal voor de fiets staan. 'Ik wil je eerst feliciteren met je plek in het Districtselftal.' Ze zag hoe hij onder zijn jack z'n schouderspieren aanspande. Mike maakte zich zo breed mogelijk.

'Wat moet je?'

'Je weet niet wat ik kom doen?' Isa haalde zwaar adem. Haar groene ogen gloeiden als kolen. Ook zij was gespannen, maar niet bang.

'Geen idee.'

'Ik heb een hamer bij me.' Isa gaf een tikje op haar rechter jaszak.

'Boeiend,' zei Mike en hij bracht zijn linkervoet naar de trapper.

Isa haalde de hamer tevoorschijn en de beweging van Mike bevroor. Vrijwel tegelijk stopte het met regenen. Slechts af en toe viel er nog een druppeltje.

'Doe... doe normaal.' Ineens klonk de stem van Mike alsof hij huilde en zijn ogen keken alle richtingen op.

Isa hief de hamer in de lucht en stapte op hem af. 'Je mag kiezen, links of rechts?'

'Waar heb je het verdomme over?'

'Het is simpel, Mike. Je linker- of je rechterknie.'

Knal! Knal! Knal!

Mike wilde van de fiets af komen.

'Doe geen gekke dingen!' waarschuwde Isa met fonkelende ogen en opgeheven hamer.

Mike bleef op het zadel zitten. Hij zag eruit alsof al zijn kracht was weggevloeid. Isa deed nog een stap dichterbij en begon de hamer als een strijdknots boven haar hoofd rond te zwaaien. Mike's adamsappel vloog heen en weer.

'Zeg op, welke wordt het, links of rechts?'

Maar Mike kon geen woord uitbrengen. Hij was net zo stil als het licht van de lantaarnpalen, dat werd weerspiegeld in de plassen op straat.

'Goed, dan kies ik zelf wel.' Isa deed een pas terug en hield de hamer stil.

'Waa... waarom?' wist Mike hakkelend uit te brengen.

'Dat weet je best. Je hebt mijn toekomst kapot gemaakt. Je hebt m'n knieschijf op m'n rug geschopt.'

Na deze woorden werd Mike lijkbleek en staarde Isa aan. 'Zo... zo hard was die schop niet.'

'Hard genoeg, zak!'

Isa's ogen werden zo hard als edelstenen en haar greep rond de steel van de hamer werd sterker.

'Ge… genade!' snikte Mike.

Op dat moment verlichtte een uit de wolken komende lichtstraal, zo helder als geslepen glas, de schimmige duisternis. De streep maanlicht viel precies op het gezicht van Mike. Isa zag een gezicht dat glom van het zweet en twee ogen die schreeuwden om hulp. Ze herkende die schreeuwende ogen. Haar arm aarzelde.

'Genade!'

Het maanlicht viel weg. Isa's arm zwaaide met kracht naar beneden en de stilte werd aan stukken gescheurd door een daverende klap, waarmee ze de voorlamp van de fiets af sloeg. Met een volgende hamerslag knalde ze een deuk in de stang en met een laatste klap ramde ze de bagagedrager. Zowel Mike als de fiets viel om.

'Au!' gilde hij met een vreemd hoog stemgeluid. 'Shit! Doe niet!'

Mike lag nu volstrekt hulpeloos onder de fiets en Isa, hamer in de wrekende hand, torende hoog boven hem uit.

Isa snakte huiverend naar adem. Het voelde alsof ze een marathon had gelopen. Het zweet op haar voorhoofd leek kilo's te wegen. Mike liet nu z'n tranen de vrije loop.

'Klootzak!' siste Isa. 'Miezerige huilebalk! Kijk niet zo zielig, verdomme! Ik heb zelf genoeg meegemaakt!'

Mike stopte niet met huilen en snotterde. 'Ik… ik wil sorry zeggen. Sorry voor die rotschop. Echt, ik heb spijt. Echt waar!'

Ergens hoog in de bomen begon een vogel te zingen en ineens kwam Isa tot bezinning. Die koortsdroom, dacht ze in een flits, was een waarschuwing. De schreeuwende ogen waren van Mike en godzijdank heb ik hem niet geraakt. Wat doe ik hier? Waar ben ik mee bezig? Wil ik net zo'n rotzak worden als hij? Wil ik iemand met opzet voor de rest van z'n leven beschadigen?

'Sorry,' prevelde Mike. 'Sorry, wijv... eh... meidenvoetbal is niet zonde van het gras. Ik...'

Isa luisterde niet meer. Kalm deed ze de hamer terug in haar jaszak en zonder iets te zeggen liep ze weg, met opgeheven hoofd. Haar knie voelde alsof hij was volgegoten met beton, maar haar buik en hoofd voelden een stuk lichter. Ja, ze was enorm opgelucht en af en toe speelde er zelfs een glimlach rond haar mond. Bij de tramhalte haalde ze bevrijd adem en in de trein besloot ze Debbie te bellen.

'Hoi Deb, met Ies.

'O, hoi! Hoe is het?'

'Goed, ik zit in de trein op weg naar huis.'

'O, waar ben je geweest?'

'Bij jou toch?'

'Huh?'

'Geintje! Mijn ouders denken dat ik bij jou thuis ben, maar dat is dus niet zo.'

'Jezus, Ies, goed dat je weer geintjes maakt, maar wat ben je aan het doen? Toch geen gekke dingen?'

'Luister...'

Isa fluisterde haar verhaal in de telefoon, want de coupé zat vol mensen. Aan de andere kant van de lijn wisselde Debbie luide kreten af met diepe stiltes.

'Zo is het dus gegaan,' besloot Isa haar verhaal.

'Gossiemijne, goed dat je die gast niet geraakt hebt.'

'Weet ik, maar ik was dus bij jou, oké?'

'Natuurlijk,' stamelde een ademloze Debbie. 'Natuurlijk, schone wreekster.'

'Zul je voor altijd over die… eh aanslag zwijgen?'

'Ik zweer het.'

'Zul je er ook nooit een tekening van maken?'

Nu gaf Debbie niet meteen antwoord. 'Mmh, ook niet over een jaar of tien?'

Isa lachte zachtjes. 'Oké, Deb, over tien jaar mag het.'

'Dan zijn we 23.'

'Oud en wijs.'

'Jeetje, Ies,' zei Debbie grinnikend, 'je klinkt anders, weer een beetje zoals vroeger.'

'Weet ik.'

'Maar die ogen in je droom. Die hadden je dus gewaarschuwd.'

'Zeker weten.'

'Tssuh, ongelofelijk.'

'Ja, ongelofelijk, maar heel erg waar.'

M. ten Cate

Thuis zweeg Isa die avond uiteraard in alle talen over haar actie. Ze had de hamer in de gereedschapskist teruggelegd en samen met haar moeder warme chocolademelk gedronken. Nu deed ze op haar kamer haar pyjama aan. Hoe kwam ze zo rustig? Waarom zat ze beter in haar vel? Waren die dreunen op de fiets van Mike een soort vulkaanuitbarsting geweest, waarmee ze alle woede eruit had geslagen? Daar leek het veel op. Mike's angst had haar, moest ze toegeven, ook goed gedaan. Het was eigenlijk al bedtijd, maar Isa mocht van haar moeder in de huiskamer nog even televisiekijken. Toen ging de telefoon. Isa nam op met haar voornaam.

'Goedenavond, politie Haarlem, spreek ik met Isa Laurier?'

Isa's lippen begonnen te trillen. Had Mike aangifte gedaan bij de politie? Wilde dat rotjoch soms een schadevergoeding voor die rotfiets? Wilde hij...

'Hallo, spreek ik met Isa Laurier?'

'Ja,' bracht Isa moeizaam uit. In haar rug voelde ze de ogen van haar moeder prikken.

'Mooi zo,' zei de politieman. 'Ik heb goed nieuws voor je.

Die zwerver is boven water. Ik dacht dat je dat wel wilde weten.'

Opgelucht haalde Isa adem. 'O, super! Waar is hij? Hoe is het met hem?'

'Hij heeft een plekje in verpleeghuis Schoterhof in Haarlem-Noord. Ken je dat?'

'Ja, dat hoge gebouw met rood en blauw.'

'Precies. Hij heet trouwens Morris ten Cate en over zijn gezondheidstoestand weet ik niets. Je moet maar even bellen of je langs kunt gaan, of hij al bezoek mag.'

'Ja,' stamelde Isa, 'dat zal ik zeker doen. Dank je wel.' En ze verbrak de verbinding.

'Wie was dat?' vroeg haar moeder met een knik in haar stem. 'Toch niets ern...'

Verder kwam ze niet.

'Het was de politie, mam!' ratelde Isa. 'Morris is terecht! Hij heet Ten Cate van z'n achternaam en hij woont in verpleeghuis Schoterhof!'

'O, nou, mooi,' zei haar moeder aarzelend.

'Ik wil zo snel mogelijk langs!'

'Natuurlijk, natuurlijk, dat begrijp ik. Morgenochtend moet je maar even bellen.'

'Waarom niet nu? Ik...'

'Nee, niks ervan! Nu moet je echt naar bed. Het is mooi geweest.'

Isa poetste net haar tanden in de badkamer, toen ze beneden haar vader met stemverheffing hoorde praten. Meteen glipte ze de badkamer uit en ze bleef op de overloop staan luisteren. Duidelijk hoorde ze haar moeder zeggen: 'Ze lijkt me wat meer ontspannen, Daan, een ietsepietsie vrolijker ook.'

'En dan duikt net nú die zwerver weer op, verdomme!'

'Tja, het is alsof de duivel ermee speelt.'

Er viel een korte stilte.

'Maar we moeten haar laten gaan. Ze wil bij hem op bezoek. Dat kan toch geen kwaad. We moeten haar vertrouwen!'

'Ja, ja.'

'Twee keer ja betekent nee, Daan. Vertrouw haar nu eens een keertje!'

Nu viel er een langere stilte.

'Afijn, heeft ze nou al een Isadotje geprobeerd?'

Isa wist precies wat er nu in de huiskamer gebeurde. Haar vader wees naar het schaaltje met chocolaatjes op de salontafel.

'Nee, het spijt me.'

'De hele stad eet ze, tot de burgemeester aan toe, behalve degene naar wie ze genoemd is. Treurig!'

'Ook dat komt goed, lieve schat! Ach, kom eens hier!'

Isa hoorde het geluid van een klapzoen en daarna het kraken van de trap. Snel rende ze terug naar de badkamer.

Al de volgende dag meldde Isa zich na schooltijd met een bos bloemen bij de receptie van Schoterhof.

'Ah, jij had vanochtend gebeld,' zei de receptionist. 'Je moet op de tweede verdieping bij de zusterspost zijn. Daar moet je Petra Dekker hebben.'

Isa nam de trap naar de tweede verdieping. Bij elke tree

klaagde haar knie, maar Isa luisterde er niet naar. Met grote passen liep ze over de gang naar de zusterspost. Petra was snel gevonden.

'Mooi,' zei ze opgetogen, 'eindelijk bezoek voor meneer Ten Cate. Ben je familie, een nichtje soms?'

'Nee,' zei Isa, 'ik ken Morris uit het Kenaupark. Ik ben met hem bevriend.'

'Ach zo, nou, meneer Ten Cate is wel behoorlijk veranderd, hoor.'

'O?'

Petra pakte een dossier van tafel. 'Mmm, even kijken. Ja, hij is dus sinds drie weken in huis vanwege een hersenbloeding, z'n tweede.'

'O? Dat wist ik niet.'

'Hij zit in een rolstoel door verlamming van z'n benen.'

Isa verbleekte. 'Shit hé!'

'Hij weet dat het blijvend is, dat hij nooit meer uit die stoel komt.'

'O... oké.'

Er verscheen een glimlach op Petra's gezicht. 'Maar dat pikt hij wonderbaarlijk goed op. Ik heb eerlijk gezegd nooit eerder iemand zo vanzelfsprekend in een rolstoel zien zitten.'

'O?'

'Hij is bij ons zusters ook erg populair. Hij klaagt nooit en hij heeft vaak van die pretlichtjes in z'n ogen.'

'Ja, zeker weten!'

'Mooi is dat, hè? Meneer Ten Cate is 68 jaar oud, maar hij heeft nog van die jongensogen.'

Isa kon niks anders doen dan knikken.

'Goed, meneer kan alleen met een rietje drinken en hij eet z'n boterham in kleine stukjes. Z'n spraakvermogen is aangetast, maar hij is verstaanbaar. Hij spreekt wel heel langzaam. Je moet dus geduld hebben.'

Isa gaf nog maar eens een knikje. Ze dacht aan de foto in haar binnenzak. Hoe zou Morris op die foto reageren? Misschien...

'Jongedame!'

'...eh, ja, sorry. Ik luister.'

'Z'n handen zijn dus deels verlamd. Hij kan niet zelf z'n rolstoel aanduwen. Dingen pakken en vasthouden kan hij wel. Dat krijgt hij steeds beter onder de knie.' Petra liet het dossier zakken. 'Heb je nog vragen?'

'Ja, hoe komt hij hier terecht?'

'Z'n broer bracht hem hier voor een tijdelijke opname, maar broerlief hebben we nooit meer gezien. Bovendien kloppen z'n telefoonnummer en adres niet. Hij is dus onbereikbaar, weg, foetsie!'

'O, hoe kan dat dan?'

Petra kneep haar ogen tot kiertjes. 'Tja, hij heeft meneer Ten Cate hier gedumpt. Zulke dingen gebeuren.'

Met open vleugeltjes

Bij alle andere kamers hingen foto's van de bewoners aan de deur, maar niet bij die van Morris. Isa klopte op z'n deur die halfopen stond. Er kwam geen reactie. Ze liep naar binnen. In een rolstoel zat een man met z'n gezicht naar het raam.

'Morris?'

Moeizaam draaide hij z'n hoofd om. Morris droeg een beige broek en een blauw overhemd met een zwart colbert. 'I... sa!' bracht hij uit. 'Wat... doe... jij... hier?'

'Ik kom op bezoek,' zei Isa. 'Daarom ben ik hier. Kijk eens, een mooie bos rozen. Heb je hier een vaas?'

'Lief... van... je.'

'Staat er misschien een vaas in de kast?' Isa wachtte het antwoord niet af. Ze opende de deur van de kast en vond daar inderdaad een vaas. 'Ah! Hebbes. Mooi zo.'

Morris keek geamuseerd toe hoe Isa de vaas met water vulde en de stelen van de rozen schuin afsneed op een plastic snijplank.

'Beeld... schoon.'

'Ja, hè?' Isa zette de vaas met rozen op tafel.

'Krijg... ik... nu... een... hand?'

'O, natuurlijk. Sorry! Sorry!' Isa liep naar Morris toe en

pakte z'n uitgestoken hand. Het eelt in die hand voelde verrassend zacht.

'Dat... je... me... herkent... zonder... baard.' Morris
trok een vies gezicht. 'Hij... moest... er... af... hy... gië-
ne... of... zoiets.'

'Het staat je goed, hoor, echt waar.' Isa ging op de enige stoel zitten, een houten exemplaar met een kaarsrechte leuning. Ze wierp een blik uit het raam en zag een park met bankjes. 'Je hebt best een mooi uitzicht.'

Morris wees naar de lucht. 'Ik... kijk... meestal... omhoog... wolken... vogels.'

Isa keek nu wat beter om zich heen. Ze zag nergens kranten of boeken liggen. Een televisie was er niet. 'Verveel je jezelf niet?'

'Ik... heb... jaren... geoefend... in... niksen... maar ... hoe... is... het... met... jou?'

'Goed, hoor. Prima.'

'Jij... bent... ook... veranderd.'

Snel sloeg Isa haar ogen neer. Op de grond lag blauw zeil.

'Nog... bedankt... van... toen...'

Isa hief haar hoofd op. 'Wat?'

'Het... was... alsof... er... een... zwerm... kool... meesjes... in... mijn... hoofd... ontplofte.'

'O, dát! Ja, natuurlijk, eh... graag gedaan. Heb je m'n kaart nog gehad in het ziekenhuis?'

'Winter... ko... ninkje... heel... mooi.'

Er viel een stilte die Isa razendsnel opvulde door te vertellen over de zwerm vogels die Morris had beschermd. 'Het was een wonderlijk gezicht,' besloot ze het verhaal. 'Mooi was ook dat ze die stomme politieman op z'n uniform kakten.'

Morris lachte zes tanden bloot. 'Ja... ja,' mompelde hij.

Aan z'n linkerpols zag Isa het horloge met daarin de belofte voor altijd gegraveerd. De foto brandde in haar binnenzak, maar ze besloot nog even te wachten. 'Morris?'

'Ja… Isa.'

'Waarom ben je uit het ziekenhuis weggelopen?'

'Ik… wilde… regen… op… m'n… wang… voelen… en… vogeltjes… horen…'

'Hoe kom je dan hier?'

'De… kou… joeg… me… uit… mijn… tentje… bij… m'n… broer… in… huis… nog… een… hersen… bloeding… Ik… was… medi… cijnen… vergeten… bloed… verdunners.' Morris wees op zijn hoofd. 'Twee… keer… kortsluiting.'

'Je broer. Hoe…'

'Ruzie… weer… ruzie.' Morris grijnsde. 'Bier… geeft… plezier… maar… ook… herrie.'

Isa stond op van de stoel.

'Ga… je… al… weg?'

'Nee, nee,' haastte ze zich te zeggen. 'Het is nogal lekker weer. Zullen we naar buiten gaan? Wil je dat?'

Meteen verscheen er een *smile* van oor tot oor op het gezicht van Morris. 'Naar… buiten… waar… de… vogeltjes… fluiten… Ze… zullen… ons… met… open… vleugeltjes… ontvangen.'

Tompouce

De ingang van het verpleeghuis lag aan een plein met bankjes en platanen. Aan de andere kant van het plein waren winkels: een banketbakker, een kaasboer, een bloemenzaak en een supermarkt. Isa zat op een bankje bij een grote plataan. Morris zat in zijn rolstoel. 'Hoor... eens... een... glanskop.' In de platanen verderop hoorde Isa een zacht pi-tsjoe en tegelijk met dat pi-tsjoe schoot haar iets te binnen. Ze stond op van het bankje. 'Wacht even, ik moet iets halen.'

'Ik... zal... niet... weg... lopen... hi... hi...'

'Tot zo.'

Morris sloot zijn ogen en liet zijn hoofd volstromen met bladergeruis en het pi-tsjoe en wiekgeflapper van de glanskoppen. Toen hij z'n ogen weer opendeed, stond Isa voor zijn neus met in haar handen een papieren zakje dat ze angstvallig rechthield. Ze scheurde het zakje vanboven open. 'Kijk eens!'

Daar waren ze: twee tompouces op een rechthoekig stukje karton.

Morris lachte met een gorgelend geluid. 'Nou... laat... zien... hoe... eet... je... netjes... een... tompouce...'

'Zonder je hangsnor en baard is het sowieso makkelijker.'

'Moet... het... met... mes... en... vork?'

'Nee, ben je gek! Gewoon met je handen. Ik kreeg van de bakker twee papieren bordjes mee. Hier, kun je het vasthouden? Lukt dat?'

Morris grijnsde. 'Eerst... kon... ik... geen... suikerklontje... tillen... maar... nu... dankzij de... fysio... thera... peut... ga... ik... vooruit... zie... je... wel?'

Isa knikte.

'O... eet... jij... het... soms... laag... voor... laag...?'

'Nee, nee, het gaat om de smaakcombinatie. Je moet alle drie de lagen tegelijk proeven. Dat maakt een tompouce een tompouce.'

'Oké... sorry... hoor... ik... ben... maar... een... amateur.'

Isa trok het gezicht van een lerares. 'Kijk, je pakt de bovenste laag eraf, het korstdeeg met roze fondant. Doe me maar na. Zo, daar is-ie al.'

Morris deed Isa braaf na.

'Goed zo, leg nu de bovenste laag op je bordje.'

'Met... het... fondant... omhoog?'

'Ja, natuurlijk! Nu zet je de rest van de tompouce op de bovenste laag. Juist! Past precies. Nu heb je dus zogezegd een dubbele bodem, een koek met een dikke laag room die je zonder knoeien kunt weghappen.'

Morris opende z'n mond.

'Kleine hapjes, hè!' waarschuwde Isa.

'Ja... zúster.'

Morris beet in z'n verbouwde tompouce en morste geen kruimeltje. Langzaam kauwde hij het hapje weg. 'Het...

werkt... mmm... simpel... maar... mmm... geniaal!'

'Goed hè!'

'Alleen... smaakt... de... tompouce... van... je... vader... beter.'

Isa nam ook een hap en reageerde niet op de opmerking van Morris.

'Vind... je... ook... niet?'

'Ach.'

Morris trok verbaasd z'n wenkbrauwen op. 'Je... vader... z'n... gebak... is... heerlijk!'

Isa zei niks.

'Doe... je... nog... je... rondje... taart?'

Isa schudde haar hoofd.

'Waarom... niet?'

'Ik heb ruzie met m'n vader. Wil je nog koffie?'

In het verpleeghuis haalde Isa wat later een bekertje kof-

fie voor Morris, met een roze rietje. Onder de plataan zoog Morris de koffie op en maakte met het rietje slurpgeluiden op de bodem van het bekertje. 'Deed... ik ... als... kind... ook.'

'Wil je nog een koffie?' vroeg Isa.

'Een... biertje... mag... zeker... niet?'

'Zeker niet! Ik haal nog een koffie voor je.' Isa beende met grote passen naar de glazen toegangsdeuren.

Nadat Morris z'n tweede koffie achter de kiezen had, keek hij Isa een tikkeltje uitdagend aan. 'Uit... mijn... raam... zag... ik... daar... links... achter... de... huizen... veldleeuweriken... kunnen... we... daar... nog... heen... zuster Isa?'

Luchtaria

Het heideveldje aan de rand van de stad was niet groter dan een half voetbalveld. Morris wees naar diverse bruine stipjes aan de hemel, stipjes met kuifjes. 'We… hebben… geluk… er… zijn… er… nog… maar… weinig… in… ons… land.'

'Wat gaan ze hoog.'

'Mannetjes… klimmen… naar… meer… dan… honderd… meter.'

Inderdaad vlogen de veldleeuweriken naar grote hoogte en bleven daar heel lang cirkelen, uitbundig zingend. Het was een luid, helder gejubel. Deze luchtaria hield zeker een kwartier aan.

Dat dit bestáát, dacht Isa, ademloos luisterend.

'Smachtend… zingen… naar… de… vrouwtjes… het.. zijpzappen… het… geturelutuit… is… zo… mooi.'

In een golvende vlucht schroefden de mannetjes uiteindelijk omlaag naar de vrouwtjes in het veld, een zangvlucht die ook eindeloos leek te duren. De lange stroom riedels klonk hoog en zilverachtig.

CHIRRUP

CHIRP

TSOEI

CHIRRUP

CHIRP

TSOEI

Daarna stopten plots de vogelstemmen en klapte Morris in z'n handen, een eenmansapplaus dat zeker een minuut aanhield. Nooit eerder zag Isa hem zo uitbundig, bijna buiten zichzelf van vreugde. Morris draaide zich naar Isa met natte wangen. Hij wees op z'n borst. 'Ik… ben… een… pechvogel… maar… ook… een… geluksvogel.'

Isa had zich tijdens de luchtaria, dat hemelse koor, precies zo gevoeld: tegelijk zwaar en licht, ongelukkig en gelukkig.

'Twee… vogels… in… een… borst.'

'Ja, ja, zo… zoiets,' hakkelde Isa met brandende ogen.

Ineens keek Morris haar recht aan. 'Volgens… mij… heb… jij… je… eerste… einde… van… de… wereld… mee… gemaakt.'

Shit! Kon Morris soms gedachten lezen? Isa hield haar tranen in, bloosde en staarde naar haar voeten.

'Wat… is… er… gebeurd?'

Isa haalde diep adem en vouwde haar armen stevig over elkaar omdat ze trilden. 'Ik… ik was de dribbelkoningin, Morris, een wereldspits. Mijn droom was profvoetballer worden.'

'Weet… ik… nog.'

'Tot… tot ik een rotschop kreeg.' Isa stroopte met bevende vingers haar broekspijp op. 'Kijk maar.'

De grote littekens op haar been waren inmiddels van rood naar roze gekleurd.

'Ik wilde iets groots doen…' Isa zuchtte diep. 'Maar nooit

zal ik meer de voetbal-ster zijn. Nooit meer zal ik de sterren van de hemel spelen.'

In de hoogte begon weer een veldleeuwerik te jubelen. In volstrekte stilte luisterden ze samen naar de eenzaam zingende vogel. Toen pakte Morris voorzichtig Isa's hand beet. 'Lieve... kind... mijn... wereld... is... al... vaak... ingestort... toch... gaat... het... verder... gelúkkig!'

Isa staarde naar de lucht.

'Hallo... kijk... me... eens... aan.'

Waar komen die pretlichtjes toch vandaan? dacht Isa, terwijl ze in de ogen van Morris keek.

'Heb... je... dat... veertje... van... die... gaai... nog?'

'Natuurlijk!'

'Kijk... er... goed... naar... mij... maken... zulke... mooie... dingen... blij... daar... ga...ik... van... stralen... mij... helpt... het... misschien... jou... ook! Er... is... zo veel moois.'

De laatste woorden kwamen op normale snelheid uit de mond van Morris. Hij grijnsde verbaasd. 'Je doet me... goed... zuster Isa.'

Isa duwde de rolstoel verder het heideveld in. Morris was nu voortdurend aan het woord, verheugd over het herstel van zijn spreekvaardigheid. 'Ieder mens... is... honderd keer... meer dan... zijn beroep. Ik was veertig... jaar... stratenmaker... maar ik... was ook zoon, broer... buurjongen... neef, echtgenoot... elk mens is wel... duizend dingen.'

'Aha, je was dus getrouwd.'

'Ja, met Wilma. Zij is... omgekomen bij een... auto-ongeluk...'

'O, sorry, ik…'

Morris hief zijn hand op. 'Niks te sorry… zij is nog steeds… bij me hoor, in… mijn dromen.'

Was dit dan het moment? Isa tastte naar de foto in haar binnenzak, maar stopte de handbeweging halverwege. 'Over dromen gesproken, Morris. Mag ik jou iets geks vragen?'

'Heel graag… hoe gekker… hoe beter.'

'Jouw dromen. Ik…'

'Hi… hi… hi… ik droom… vaak dat ik… veertjes in m'n gezicht krijg… dan verschijnen er… stukjes vleugel aan… mijn armen… en tot slot… krijg ik een staart… dan kom ik… los van de grond en… vlieg … totdat de… zuster… op de… deur klopt.'

'In mijn dromen vloog je ook,' flapte Isa eruit. 'Je zat als engel op de doellat.'

'O… en hoe deed… ik… het?'

'Je vloog heel stumperig, sorry dat ik het zeg.'

'O?'

'Je crashte in de bosjes!'

'Ach, het is… met mij… ook altijd… hetzelfde liedje.'

De zwerver grinnikte, maar Isa bleef heel serieus kijken. 'Word jij in je dromen wel eens gewaarschuwd, Morris? Dat is mijn gekke vraag.'

'Nee… jij… wel?'

Isa knikte.

'Toch niet… voor… mij, hoop ik.'

'Nee, natuurlijk niet! Voor slechte dingen.'

'O… heb… jij dan iets… slechts… gedaan?'

'Gisteren. Bijna iets heel slechts.'

Isa vertelde over haar wraakactie en over haar opluchting dat de aanslag was mislukt, maar eigenlijk ook gelukt. 'Ik ben die enge wraakfantasieën kwijt. Ik ben veel rustiger.'

Morris z'n hele gezicht straalde nu. 'Wat een grootse... actie, zeg.'

'Wat bedoel je?'

'Dat je niet... geslagen hebt. Dat is groots. Dat je... een ouwe zwerver... gebak geeft, dat is groots. Dat je mijn... rolstoel duwt... dat is groots!'

Isa bloosde.

'Alleen... ruzie met je... vader... dat is iets kleins. Ruzie is meer... iets voor mij.' Morris wees op z'n borst. 'Maar hoor eens! Hoor... een lijstertje... hoor je... wat hij zingt... hoor je dat? Hoor je zijn... boodschap?'

Isa luisterde.

POE-TIE-WIET! POE-TIE-WIET!

Ze schudde haar hoofd.

'Ik leef... dat zingt hij... Isa... ik leef! Daar word je... toch vrolijk van! Ach, er zijn op aarde... zo veel redenen om vrolijk te worden...'

Isadotje

Om halfvijf fietste Isa van de Schoterhof naar huis. Op de Zijlweg stopte ze op het fietspad en belde Debbie.

'Hé Ies, eindelijk! Vertel, ik wil alles weten! Hoe is het met de Boze Wolf?'

'Twee keer is er in z'n hoofd een nest koolmezen ontploft, Deb. Zo noemt hij z'n hersenbloedingen. Morris zit in een rolstoel. Voor altijd.'

'Gossiemijne… wat erg, maar weet je al wat over die Wilma? Is zij de vrouw op de foto?'

'Ja, en hij was er zo blij als een kind mee. Hij begon helemaal te gloeien. Hij was de foto in het tentje verloren. Slokje te veel op, zei-ie.'

'O, mooi, maar…'

'Binnenkort ga ik trouwens weer langs enne…' Isa haalde diep adem. 'Zelf had ik trouwens ook een ontploffing in m'n hoofd'

'Alles is toch wel oké, Ies?'

'Ja, eigenlijk gaat het stukken beter.'

'Je klinkt anders… ik weet niet.'

'Klopt, ik voel me ook anders.'

'Maar hoezo ontploffing?'

Isa vertelde over het concert van de veldleeuweriken. 'Niet normaal zo mooi. On-voor-stel-baar!'

'Dat zal best, maar die Morris lijkt me toch een zielig geval. Wat...'

'Nee, nee, dat is het gekke en mooie. Hij zit in een soort lichaamsgevangenis, maar hij is opgewekt en sterk.'

'Gossiemijne, Ies, de Boze Wolf lijkt me goed voor jou.'

'Dat denk ik ook, maar goed, ik ga weer door. Ik ben bijna thuis.'

'O, wil je niet weten wat we gedaan hebben?'

'Wat? Wie?'

'De Gazellen!'

'O ja, en?'

Debbie lachte voluit. 'Dat is een goed teken, dat je zoiets vergeet. Nou goed, we hebben met 2-1 verloren.'

'Jammer, wie maakte die ene?'

'Ikke, niks bijzonders, frommelgoaltje.'

Voor het eerst sinds lange tijd stond Isa die avond op gras, midden in de tuin. 'Eens kijken hoe het gras groeit,' zei ze hardop tegen zichzelf. Eerder was het gazon alleen maar een voetbalveldje, waar door Isa's voetenwerk behalve grassprieten nauwelijks iets groeide. Inmiddels was het anders. Er waren boterbloemen en margrietjes verschenen en zelfs wilde aardbeitjes. Op de plekken waar Isa ooit de bal hoog hield, was het gras altijd platter en geler geweest, maar nu niet meer. Het gras was geheel bijgekleurd. Elke graspriet was groen, maar dat zag Isa niet in het schemerduister. Een beetje onwennig, bijgelicht door de maan, maakte ze een rondje over het gazon. 'Niet te ruw met de grassprieten,' mompelde ze voor zich uit. 'Niet te ruw, Roodkapje.' Ze grinnikte. Ja, ze voelde zich anders, ze voelde zich goed. Zoals het ook erg goed voelde, toen ze na het eten haar moeder met een galant gebaar dat mooie veertje gaf. Nu stapte ze van het gras af, liep met een smile op haar gezicht naar de bakkerij en vroeg tussen de rekken met appeltaarten aan haar stomverbaasde vader: 'Pap, wanneer mag ik nou eindelijk eens een Isadotje proeven?'

Heb je van dit boek genoten?
Lees dan ook:

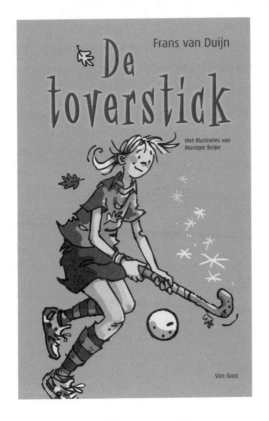

ISBN 978 90 475 0814 4